愿你的人生，
既有善良，也有锋芒

马婧◎编著

成都地图出版社

图书在版编目(CIP)数据

愿你的人生,既有善良,也有锋芒 / 马婧编著. -- 成都：成都地图出版社有限公司, 2019.8(2022.4 重印)

ISBN 978-7-5557-1246-6

Ⅰ. ①愿… Ⅱ. ①马… Ⅲ. ①人生哲学－通俗读物 Ⅳ. ①B821-49

中国版本图书馆 CIP 数据核字(2019)第 182469 号

愿你的人生,既有善良,也有锋芒

YUAN NI DE RENSHENG, JIYOU SHANLIANG, YEYOU FENGMANG

编　　著：马　婧
责任编辑：向贵香
封面设计：松　雪
出版发行：成都地图出版社有限公司
地　　址：成都市龙泉驿区建设路 2 号
邮政编码：610100
电　　话：028-84884648　028-84884826(营销部)
传　　真：028-84884820
印　　刷：三河市泰丰印刷装订有限公司
开　　本：880mm × 1270mm　1/32
印　　张：5
字　　数：118 千字
版　　次：2019 年 8 月第 1 版
印　　次：2022 年 4 月第 3 次印刷
定　　价：36.00 元
书　　号：ISBN 978-7-5557-1246-6

前　言

在人生的旅途中，我们会遇到很多人，有的人只陪伴我们走了一程，但可能下一个路口，再见即是永远。有些离别，很痛，但要学着看淡。有些人只是给我们的人生上了一课，就消失在茫茫人海。向前走吧，我们就是这样长大的。

痛苦的唯一元凶，是我们自己。

再美好的东西也有失去的时候；再深刻的记忆也有淡忘的一天；再爱的人，也有远走的可能；再美的梦也有苏醒的时刻。世间的事，因为在意，所以痛苦。总有些事情，简单不起来，只是因为太在乎。而真正伤害到我们的，只有自己。

认为自己的不幸都是别人造成的，那便会更不幸。会痛的不是爱，放下那个让你痛的人吧！经过这样的修炼，你会找回更多的自己。婚姻最坚韧的纽带不是孩子，不是金钱，而是精神上的共同成长。

一个人不管有没有人爱，也要做一个善良的人。如果赢得了独立的人格和充实的内心，任凭岁月荏苒也夺不去你自信的美。

各人有各人理想的乐园，有自己所乐于安享的世界，有朝自己乐于追求的方向去追求的权利。 不必抱怨环境，也无须艳羡别人，关键是要懂得做最好的自己。

从来没有理所当然的安居乐业，也没有顺理成章的繁荣昌盛。 你所拥有的一切，都要靠自己披荆斩棘，去闯出一片天地才能得到的。

当你成为一个历尽艰辛，所向披靡的人，相信无论怎样的风吹雨打，电闪雷鸣，都无法阻止你坚定无比的脚步，动摇你傲然挺立的身姿。

成为生活中的强者，虽然仍保持着心中的那份善良，但也要在其中加入适当的锋芒。 正如爱默生所说：“你的善良，必须带点锋芒”。

2019 年 4 月

目 录

CONTENTS

PART 01

曾经的时光，我们再也回不去了

我们

再也回不去了

朋友的相遇，需要的是概率，而相遇后培养出了一辈子的友情，则需要共同的兴趣，也可说是一种频率。两个性格相似的朋友，对上了就会有聊不完的话题。这种人与人之间的所谓默契，有时也跟亲情一样，无从强求，你也强求不得。能成为朋友，不在于认识的时间长短，而在于彼此频率是否一样，即所谓的志同道合！

从学校毕业进入职场后，有时候你会发现，同事不见得能变成朋友，因为彼此在公司内是处于竞争的状态，就算变成朋友了，也没有往事可以谈。反而是久未联络的同学，一经巧遇后，俩人滔滔不绝地话当年，似乎有聊不完的话题，这就是朋友，因为你们有共同的求学经验、共同的导师、共同的暗恋对象，甚至一起翘课被抓等学生时期的种种记忆。

其实朋友就是一种集体的记忆体，一旦聚会时会被开启，昔日校园生活点滴会被唤醒。而此刻你需要有人来参与及分享这段记忆，那种快乐才会绝对而纯粹。朋友聚集时的快乐跟男女朋友相处时的开心，是不一样的，朋友间的快乐会比较自由轻松，因为你随时可参与及离开，而男女朋友相处时的开心，相对比较甜蜜及占有性强，属于比较私人情感的交流，有时是无从分享的。这是友情跟爱情间最大的差异，友情可以暂时离开然后微笑着回来，但爱情一旦离开，有时哭着都回不来。

人都会需要几个知心好友，来共同分享与分担生活中的挫折与快乐。因为人是群居且社会化很深的动物，本来就不应该孤僻独居。有研究报告指出，宅男宅女的健康状况一般而言并不好，因为长期面对冰冷的电脑银幕，会造成人的真实情绪无法宣泄，甚至会丧失与人交际的基本能力。因为他们缺乏实际与人互动的感受，因这感受而衍生的快乐，是无法经由电脑网络取得的。

虽然朋友对我们的情感生活如此重要，但还是会有少部分人选择欺骗或背叛朋友而获得某些不当利益。如借贷不还，或以朋友当担保人，当贷款无法支付时，一走了之，避而不见。此时你所获得的不过是一时的金钱，却损失几十年甚至一辈子的交情，还必须躲躲藏藏地逃避相关的法律问题与道德良心上的谴责，还有周遭知情朋友的唾弃，这怎么算也不划算。

拥有金钱当然会有某种快乐，但通常是一时的，而拥有相互值得信赖一辈子的朋友却是一种幸福。怎么也想不通，有人亲手毁了自己一辈子的幸福，只是为了一时的快乐。

某些时候，周遭的环境一直在变，唯有那些一起经历过的事会变成回忆持续地停留。所谓友情，指的是你与朋友间的感情，这份你与朋友间专属的感情，一定要互相付出才能成立。这种相互间的关怀与付出，没有一定时间的累积，是不会有认同感的。经由彼此认定的友情，纵使你们没有常聚在一起，也会一辈子保持联系，这种情谊实为难能可贵。

朋友间一起经历某件事情，留下将来精彩有趣说不尽的共同话题，是最幸福的一件事。因此，对共同创造一辈子记忆的人，你要心怀感激，珍惜你与朋友间美好的共同记忆。这些你与朋友间专属的记忆，是一定要互相付出才能成立。

人生
不能没有朋友

人类是社会动物。一个人在社会中不可能没有朋友。任何时候，无论贫穷富有，无论快乐悲伤，无论幼年垂暮，无论成功失败，我们总是需要朋友的。

如果功利一点儿讲，就是朋友多了路好走；如果壮怀激烈一点儿讲，朋友或许就是那个在山穷水尽时仍旧能给你一条路走的人。

“人生得一知己足矣，斯世当以同怀视之。”“君子之交淡若水，小人之交甘若醴；君子淡以亲，小人甘以绝。彼无故以合者，则无故以离。”朋友是人生最宝贵的财富，真正的友谊不因贵贱而远离，不因空间时间变化而褪色，真正的朋友会雪中送炭而很少锦上添花，真正的朋友会忠言逆耳而不阿谀逢迎。有人说过，人生之幸，在于不同阶段都有可以交心的一二好友，这样的人生才不寂寞。

友情可以存在于男人和男人之间，女人和女人之间，男人和女人之间，三种都是友情，本质上却大不相同。

男人和男人之间的友情往往带着些江湖习气，哥们儿义气，为朋友两肋插刀的是男人，说朋友如手足，女人如衣服的也是男人。有时候我们不能理解这些男人间的友情，那种前一分钟还你死我活，后一分钟就把酒言欢的场面总让我们雾里看花一样分不清真真假假；那种在酒桌上推杯换盏称兄道弟，下了桌就互相使绊穿小鞋的男人们也让人困惑。其实在男人眼中，友情是纯粹的，不含有任何杂质的，朋友必须志同道合，道不同则不相为谋，表面上可以一团和气，互相利用，心底里自有一杆秤来衡量哪些人是真正的朋友。因此，有人说男人之间的友情像酒，尘封多年依然本质不变，醇香满怀。

女人和女人之间的友情少了江湖侠气，多了柔情似水，是一种倾听、一种分享，是心灵深处困惑的归宿，是懵懂时代心事的寄托，是柴米油盐的生活碎碎念，是逛街美容娱乐八卦的大杂烩。女人之间的友情是细腻的，像拂过秀发的清风，划过指尖的溪流，再细微的变化也逃不过好友的眼睛。闺中密友，是女人与女人之间友情的最好形容，一个闺，圈定了性别，一个密，阐述了程度，足以形容两个人关系的不一般。

而男人和女人之间有没有纯洁的友情是讨论了多年的话题，这种友情比男人之间的友情多一份柔美，比女人之间的友情多一份担当。男人和女人之间的友情是一种默契，是超脱了爱情的一种精神寄托。如果说男人之间的友情是醇香的白酒，甘洌而豪爽，女人之间的友情是浓郁的奶茶，清香而温馨，男人和女人之间的友情就是红酒，有着诱人的外表，回味无穷的却是味道。 红颜知己、蓝颜知己、暧昧，这些字眼在男女的友情之间跳动，不小心就超越了友情的底线，尴尬、失落随之而来，所以男人与女人之间的友情可遇而不可求，该结束时就不必坚持，该淡化的时候就不能惋惜。

如果你的真诚换来了别人的利用

如果你的真诚换来了别人的利用，无论如何，你依然要真诚；如果你的忠贞换来了爱人的背叛，无论如何，你依然要忠贞；如果你的坚持自我换来了别人的嘲笑，无论如何，你依然要坚持自我；如果你的行侠仗义换来了报复伤害，无论如何，你依然要路见不平拔刀相助；如果你知道口中的实话或许对自己不利，无论如何，你依然要实话实说；如果你知道你的热心或许会换来别人的防范，无论如何，你依然要热心；如果你的包容换来了对方的得寸进尺，无论如何，你依然要包容与你为敌的人；如果你的乐善好施换来别人的忘恩负义，无论如何，你依然要充满爱心地去帮助每个人。

印度伟大的哲学家和灵性导师克里希那穆提曾说："我不在意任何发生的事情——这就是我的秘密。"他简洁深远的话语再次震撼了人们的心灵。

我们要做的就是在每天的生活中不让任何事情影响我们的平静心情，以一种超脱的心境对待生活。

不在意就意味着去包容、去喜欢。你是否有这样的经验：当你去接纳一个人时，就会发自内心地欣赏和宽容对方；当你抵触一个人时，就会厌烦、逃避对方。抵触的态度会让我们痛苦，唯一的办法就是以一种迎接、化敌为友的态度替代。

当你用不在意的态度，用和善、宽容的态度去对待每天发生在你生命中的人和事时，你的心态、你的人际关系也就随之改变了，你很快会看到一切都在往更好的方向发展，你不再居住于一个充满矛盾、冷漠、颓废的世界，你会意识到，曾经的你一直在被错误的思想观念所引导。人生的常态应该是完全地快乐满足，而不是为痛苦烦恼时刻纠结。

也许你觉得万事不在意很难，请这样想：你不可能奢望每个人都是无私而充满爱心的，去包容他们吧，相信他们会在岁月中成长，用你的言行去影响和改变他们。

因为，你在乎的不是世人对你的评价，而是自身的价值，你心中的那份真善美，才是你坚持下去的原动力。

尽量避免争吵

人和人之间就某件事产生分歧是非常正常的，很多人在产生分歧之后首先想到的是争论，甚至争吵，这似乎也是正常的，但正是这种似乎正常的解决办法恰恰是最糟糕的办法，其实，最好的办法就是避免争吵。

和一个人争吵，一般是不会有什么好结果的，因为为了各自的自尊，谁都不愿意轻易地屈服，而往往分歧双方都各有优点，也各有缺点，或者根本就没有好坏可言，只是角度不一样，所以争吵是不可能有结果的。

争吵总是营造一种敌对的气氛，在这种气氛中，双方都只会盯住对方的缺点，而不会考虑对方的优点。

即使是很明显的一个错误，你把它指出来，或者用你的天才般的辩论把他驳得体无完肤，让他觉得低人一等，其结果只会使他怨恨你，或者违心地认错，但可能观点照旧，甚至会在以后的工作中影响相互的合作。

即使是“1 +1 =3”这样简单低级的错误，你也该找个恰当的机会指出来，越是简单的错误越不能公开地无情地指出。

当你抱着敌对的态度去解决问题时，结果只会水火不容。只有在尊重对方的同时提出建议才可能被接受。所以我们要尽量避免争吵。

要做到避免争吵，首先要有欢迎分歧的态度，有句格言：“如果一对伙伴总是意见一致，那么他们中的一个就是多余的。”所以分歧是必须的，也是必然的，没有分歧就没有解决问题的最佳办法。

其次要告诉自己，在发生分歧的时候，要冷静地先听对方说，给对方时间，然后你才会有较客观的评价。但最重要的是如何开口，很多人在开口之前是理智的，但慢慢地就失去控制，无法控制对方情绪，也没法控制自己的情绪。

开口要先强调对方的优点，先肯定对方，然后承认自己观点中的不足，即使没有不足也要编一个。因为要让对方认识到他的不足，最好的办法就是先自我批评，最后很婉转地提出对方的不足，请他考虑。相信这样一个简单的方法能避免大部分争吵。

正确看待自己的“利用价值”

一般而言，人脉资源网络的建设当然会有一定的功利目的，但这种功利的恰当表现方式应该是合作互利，即通过合作，双方的需求和利益都得到满足；如果只有一方受益而使另一方蒙受损失，那么这样的人际关系可能会有，但绝不可能长久，彼此也不可能在这种状况下成为对方的人脉资源。因此，构建丰厚而高效的人脉资源网络不仅要讲求功利，而且要将合作互利作为做好人脉经营工作最基本的原则和策略。

与人交往当然不可能没有一点功利色彩，但过分的功利无疑不利于交友，以利用别人为目的的交际，更是与人交往的大忌。现实社会中，每个人都喜欢交朋友，但没有人喜欢被别人利用，所以一个人如果抱着利用的目的接近别人，永远不可能建立起自己的人脉资源网络。

作为一个普通人，绝不能抱着满足自己私利而损害别人利益的目的与别人交往。生活中，朋友多了好办事是事实，朋友间互相帮助也是一种义务，但必须要诚实地对待朋友，这种诚实要建立在尊重对方的基础上，这也是对自己的尊重。交朋友不能没有做人的原则，当今社会早已进入了合作共赢时代，任何人要想取得成功都必须与他人合作，曾经的陌生人只要彼此真诚，完全可能共同合作取得成功。但是，如果合作者只是为了相互利用，为私利不惜相互损害，那么，即使再亲密的朋友也会分道扬镳，最终只能一事无成。

社会上曾经流行过一句话："朋友是用来出卖、利用的。"也确实有人打着"朋友"的幌子损害别人的利益来满足自己的私利。还有人说："没有永远的朋友，只有永远的利益！"为了利益可以出卖任何人，何况朋友。"为朋友可以两肋插刀"这样的江湖义气也被不少人利用。

人生在世，什么样的人都可能遇到，当被别人利用时，更要保持良好的心态。其实，在被别人利用的同时，如果自己没有太多的利益损失，从另一个角度看，也是一件值得骄傲的事，至少说明自己是有利用价值的。为他人做事，只当是帮助他人，但绝不能因帮人而失去了自己的底线、原则和自尊。大智若愚，讲的就是被人利用了，却装作不知道，从而达到反利用的目的，通过被利用来成就自己，这才是最高明的境界。

当然，能够通过被利用实现自己的人生价值，也是一种成功。每个人都有着独特的天赋和特点，一个人的价值往往也决定了其被他人需要的程度，发挥自己的特长并与为别人服务、满足别人需求结合在一起，就构建了获得更多财富的捷径。

宁得罪君子，不得罪小人

小人就好像是一块玻璃，一碰就会碎掉。而防范小人只有一个办法，那就是尽量与他们保持距离。

在待人处世的过程中，谁都不愿意与小人相处，但是不管你愿意不愿意，都不可避免会遇到小人。所以在我们办事的过程中，千万要小心，不要轻易得罪小人。如果你得罪了小人，不仅办不好事情，可能还会招来很多令你头疼的麻烦。

在唐朝有一个叫李林甫的人，他是唐玄宗李隆基在位时期有名的奸相。李林甫为人心胸狭窄，容不得别人受到一点唐玄宗的宠爱，而当时唐玄宗又比较喜欢外表英俊、看起来仪表堂堂的武将。

有一天，唐玄宗在李林甫的陪同下到花园里散步，远远看见一个身材魁梧的将军，这时候唐玄宗叹了一声说道："这位将军长的真是仪表堂堂啊。"而李林甫则非常紧张，因为他生怕唐玄宗会喜欢这位将军，所以当唐玄宗问李林甫这位将军是谁时，李林甫支支吾吾地说不出来。

等到事后李林甫就暗中把唐玄宗喜欢的这位将军调到了一个很偏远的地方，让他再也没有机会接触到唐玄宗，这位将军当然永远也不会有出头之日了。

在小人的心里是容不下事情的，甚至是一点小事，只要他觉得对自己不好，就会牢牢地记在心中，甚至是长时间的记恨心中。等到有一天他找到机会报复你，你还不知道是什么原因得罪了他。

小人是非常喜欢嫉妒别人的，他们看不了别人比自己强，而且你们关系越好，他可能在心中越希望你干的不要比他出色。

小人还喜欢斤斤计较，什么事情都喜欢和你争个是非长短，或者动不动就一个人在那里生气。

小人可以说是琢磨人的专家，他们会为了一点很小的利益就付出很大的代价，所以在日常生活中如果遇见小人的话，我们要学会一套对付小人的办法才行。那么我们到底应该如何来对付小人呢？

如果你不想把自己的地位降低成和小人一样的话，或者是不想两败俱伤的话，那么你最好就睁一只眼闭一只眼，对小人的行径最好不理不睬，或者敬而远之，最好不要发生正面冲突。

唐朝的名将郭子仪，在“安史之乱”平定之后，已经拥有了很大的权力，但是他并不居功自傲，为了防止小人的嫉妒，郭子仪做什么事情都非常谨慎。

有一次，郭子仪生病了，当时有一个叫卢杞的官员来看望他。卢杞可以说是历史上非常有名的奸诈小人，长相更是奇丑无比，人们都把卢杞看成是“活鬼”。

也正是因为这些原因，一般人看见卢杞以后都会笑话他那丑陋的相貌。而当时郭子仪听到门口有人报告之后，就立即让家人躲起来，自己独自一个人接待卢杞。

等到卢杞走了之后，郭子仪的家人问道：“之前有很多官员来看望您，为什么单单这个卢杞您要让我们回避呢？”郭子仪答道：“你们有所不知，卢杞这个人的相貌极为丑陋，而又是奸诈小人，如果你们看到他之后，忍不住笑出来的话，那么我们就要倒霉了。”

到了后来，卢杞当上了宰相，他在位期间尽力报复之前笑话他的人，而对郭子仪却是非常的尊重。

可见不得罪小人，确实能够给自己减少很多不必要的麻烦。而如果因为自己的一时气愤得罪了小人，那么你就要小心了，小人肯定会用一些阴险狡诈的办法来折磨你。

如果在平时你实在没有办法与身边的小人一起共事，那么一定要记住：“待小人要宽，防小人要严。”在小人面前要多听少说，千万不要轻易许诺，更不要轻易褒贬别人，特别是对于小人身上的缺点是万万不可批评的，而对于小人的要求，我们能办的最好都办，不能办的也一定要懂得婉言谢绝。总之，要对小人敬而远之，万万不可与其开玩笑，小心最后引火烧身。

增加自己“被利用”的价值

石油大王洛克菲勒说：“假如人际沟通能力也是同糖或咖啡一样的商品的话，我愿意付出比太阳底下任何东西都高的价格购买这种能力。”

世界级管理大师肯布兰查说：“圈子是你的社会标签，有什么样的圈子就有什么样的未来。成功的人生不但在于你能够很好地管理自己，还在于你能够管理好自己所生存的圈子，你的圈子决定你的生活质量以及你自身价值的体现程度。”

俗话说：要了解一个人的身价，就要看他的对手；要了解一个人的品性，就要看他的朋友。

胡雪岩若没有结识王有龄，那么他不一定能成为日后的“红顶商人”；张良没有遇到黄石老人，他的人生角色可能只是一个聪明人，而不会是“运筹帷幄”的开国贤臣……

中国有句俗语说：鸟伴鸾凤飞程远，人伴贤良品德高。你的努力不光是在提高自身的能力上，还更应该放在提高你的人脉圈的质量上。

如果你的周围都是一些小人物，超低的生活标准让你对自己目前的状态很满足，失去奋斗的欲望，那么你看到的只是鸡毛蒜皮的小事，你所有的激情都会淹没在这些琐事里。你没有可以学习的对象，没有可以凭借的天梯，自然无法走进更宽广的世界。

每个人都生活在社会人群中，人脉圈就是其成长的背景，有什么样的背景，就会有什么样的人生。

古人云：处兰芷之室则与之俱香，处鲍鱼之肆则与之俱臭。其实，无论是在学校还是走向社会，结识大人物都有助于形成这样的进步链条：接触“大人物”——了解“大人物”——被“大人物”了解——见贤思齐，学习“大人物”——砥砺品行，为成为“大人物”打好基础——被“大人物”赏识——从“大人物”那儿获得激励和机会——成为“大人物”。

心理学上有个术语，叫舒适圈，指人们在不同场合中感觉到自在的程度。

在自己熟悉的场所，在自己熟悉的人群中，人们就会感觉到很安全。舒适圈是我们提高生存质量的前提，但是因为没有压力，没有紧迫感，在舒适圈中，人就会变得松懈，潜能无法被激发出来。对于成长和成熟来说，突破自我设限，跳出舒适圈，是唯一的必备条件。

对于社交来说也是如此。很多人总是强调：我不善于交往，我不喜欢在陌生人面前说话。这种语言，常被一些强调自己独特性的人拿来使用，为的是挡住泛滥的人际往来，只选择与自己同类的人进行交流。但是对于那些恐惧交往的人来说，这话的含义却不那么让人乐观。

对未知有恐惧感，这是人的本性，但是成长本来就是突破恐惧的过程。如果一味让恐惧控制你的人生，那么你就没有探索发现的机会，也就没有领悟更广泛人生的意义。因此，在成功学里，人们纷纷表示：我们应该跳出舒适圈，进入到更广阔的天地，才有更好的发展，也才有更大意义上的成功。

这种在成功学上的建议也可以拿来发展人脉学，如果你只在熟识的人群中，如果你只在感到舒适的朋友圈中生存，你的人脉网就将慢慢枯竭。因为没有新朋友的加入，你的信息量会变少，在老朋友中间你失去了传播信息的功能，你进行关系维护的唯一方法就是所谓的感情，还有一成不变的行为习惯。在这个信息就是生活的年代，除非你的朋友也是一帮老朽，否则，不会有人愿意长年累月地重复单调无味的生活模式。

“没有谁规定两个酒杯一定要碰出声响，就像并不是只有并肩同行的人才是朋友。朋友分很多种，或陪伴、或指引、或在远方、或不离不弃，他们对你的感情，本质上是相同的，说到底，都是在你孤单的世界里，悄悄为你亮起一盏灯而已。”

知人知面不知心

俗语说：画虎画皮难画骨，知人知面不知心。

只有了解他人，才能把握对方的人格之高下、品质之优劣、行为之美丑。做到有针对性，或者坦诚相待，或者持有戒心，从而能防患于未然。

但每个人都很难从对方脸上的表情或者言谈举止来断定其心情和目的。难过的时候，他可能微笑着巧妙地掩饰；兴奋的时候，他也可能故作沉思，低头不语。因此，这时他说出来的话、作出来的事不一定出自内心的本意。这正如同人们平时所说的那句话：“人人都戴上了虚伪的面具。”

有些人装出一副道貌岸然、和蔼可亲的面孔，却隐藏着内心的真实意图。外表上对人极尽夸赞逢迎，暗地里却耍手段，要么使人前进不得，要么使人阴沟里翻船，甚至是落井下石。这种人往往不是自己出面去伤害别人，而是借此伤彼。

在我们的周围，有时，他们看到你直上青云就会逢迎拍马，专捡好听的话讲；有时，他们看到你事事顺心、进展神速而在背后造谣生事，陷你于不利；有时欺骗、谎言、圈套从他们头脑中酝酿成绳索套在你身上，使你翻身落马；有时，他们看到你坠入困境则幸灾乐祸、趁火打劫。所有的这一切，我们岂能不防呢？

生活中往往有两面三刀者，他们采取各种欺骗方法，迷惑对方，使其落入陷阱，从而达到自己的企图。唐玄宗时的宰相李林甫，他陷害人时并不是一脸凶相，咄咄逼人，而是吹捧对方，说一些甜言蜜语，暗地里却拿对方开刀。当时世人称李林甫“口有蜜，腹有剑”。在当代，“当面说好话，背后下毒手”者不少，我们在生活中一定要引起重视，提高警觉。

不要随意贬低他人

我们在社会上会遇到形形色色的人，有一种人，遇到就要避而远之，这种人就是喜欢贬低别人的人。 他们往往是出于嫉妒心理或其他原因，对他人心怀不满，进而造谣生事，竭尽诬蔑诽谤之事，本以为能抬高自己，却不知更加招人鄙视。

每个人的生活方式不同，处世之道各异，你不喜欢的不一定是错的，看不顺眼的未必不对，人不能总拿自己的眼光去衡量别的人或事，更不能以自己的价值观为标准来评判别人。 否则，你怎么贬低别人，别人就会怎么贬低你。

贬低别人未必能达到目的，却一定会让大家都看不起你。 凡事都应该把握好一个度，谦虚待人、谨慎处事总没有错。 你可以不勇敢，但是你不能诬蔑别人的勇敢；你可以不伟大，但是你不能否定别人的伟大；你可以不崇高，但是你不能贬低别人的崇高；没有人强求你高尚，但是不允许你蔑视高尚；你尽可以做你的“真小人”，但是你不能辱骂别人是“伪君子”。

对于朋友、同事，我们要多看到人家的长处，要保持坦诚，多给予别人一份美好的赞美，那么，我们也将从别人那里得到赞美，从而获得良好的人际关系。

很多初入社会参加工作的年轻人，眼界很高，认为自己学富五车、才高八斗，凭着万丈豪情一定可以大展宏图。无论什么任务，一拍脑门就说“简单”，别人两天完成，他一天完成，能干不能干的都敢干，结果往往是眼高手低，连基本的小事都做不好。

年轻人必须正确面对并高效率地走过生命的这一段，尽可能地从中汲取经验，尽快成熟起来，并树立良好的、值得信赖的个人形象，从而为自己学以致用铺就一个好的舞台。

不说大话的人往往很有自知之明，他知道自己能吃几碗饭，有多少分量，甚至不惜低估自己的能力而把自己摆在弱者的位置。不说大话，能使人时刻保持清醒的头脑，使人不懈前行。这种适当的自卑是一种生命的升华，它会使你从平凡蜕变成非同凡响，使你走向成功。自知轻重的人能深刻地反省审视自己，冷静地剖析自我。懂得以人之长补己之短，懂得笨鸟先飞未雨绸缪，懂得用自己不懈的努力和执着的追求砸开胜利之门。

知道自己轻重的人往往能保持一种谦虚谨慎的心态。他知道自己是凡人，也就不会瞧不起别人。他能洞察到自身的不完美，对于他人的过失缺点，也就能包容谅解。总之，自知者时时保持着谦和从容的心态。现实生活中有些人自信过了头，好高骛远，眼高手低，往往错误地估计形势，不知天高地厚，对困难估计不足，结果在职场商场中屡战屡败。用自

知审视人性的弱点，用自信照耀前进的道路，我们的人生将取得更大的成功。

人们往往喜欢努力往高处爬，爬得越高，看得越远，不但能将一切景物尽踩脚下，还能被顶礼膜拜，这就是重权和高位带来的诱惑。然而，地位越高，责任越重大，年轻人往往只顾羡慕上位者的风光无限，却忘了高处也是险处。

一个人渴望获得成功无可厚非，为了追寻心中的理想而拼搏奋斗，也没有错。然而，拥有灿烂辉煌的成就而不自鸣得意，反而精益求精，这样的上进心更值得称赞与敬佩。需要警惕的是，位置的优越容易使人忘乎所以，目中无人，而越是得意扬扬，越容易掉以轻心，无意中就落入了成功背后的温柔陷阱。

还有的人一旦成功就不思进取，最后丧失了前进的动力，内心反而变得空虚。须谨记，站在成功的领奖台上，千万不可沾沾自喜，小心“乐极生悲”。

登上人生的制高点，确实有一览众山小的威风，但也别忘了“高处不胜寒”。

人无完人，孰能无过，即使圣贤也有犯错失误的时候。面对别人的错误，你是选择劈头盖脸一顿骂，还是找个没人的角落悄悄提醒？如果选择前者，你可能沮丧地发现，你的忠告并没有被对方接受，甚至还引起了对方的敌对情绪；如果选择后者，对方就会更容易接受，如此既给人留了面子，又能让人心怀感激地接受你的提议。

犯错误时，我们会感到愧疚，但是，如果他人当众指责你的过错，就会将事情扩大，甚至伤害你与他的感情。如果对方在批评你时能够维护你的自尊，你可能会更加心存感激。这是一种间接处理问题的方式，是在给双方一个缓冲的余地。

为了对方的面子着想，你在忠告他人的时候，最好避免第三者在场。

不喜欢听到负面意见是人之常情，没有人会考虑你的动机是善意还是恶意。在办公室里，无论你地位多么高、能力有多强，无论是对同事还是下属，提出忠告都要慎重，措辞要审慎，当着大家的面公开说更是不妥当，给对方留些面子是必要的。负面的忠告要私下里沟通，这是最重要的原则。太直接只会显得盛气凌人，你不妨先表达出自己的关心，然后委婉地陈述你的意见，而不是简单地指出问题，这样会使对方心理上比较容易接受。

私下提意见叫补台，当众提意见叫拆台。在给他人提忠告时要试着多为对方着想，唯有如此，才能不受其弊；也唯有如此，才能使你所不愿看到的状况得到改善。

有些人无理争三分，得理不让人；小肚鸡肠，不管大事小事，非得决出雌雄才罢休；为达目的，毫不给人留情面。相反，有些人真理在握，却是得理也让人三分，颇有君子风度。假如是大的或重要的是非问题，自然应当坚守原则，但日常生活中，也包括工作中，出现的往往是一些鸡毛蒜皮的问题，为这种问题争得不亦乐乎，以至于撕破脸皮，都是不明智的。不给人留面子，也就堵死了自己的出路，遇事只会越办越糟；处处给人留面子，就处处都是活路，几乎没有办不成的事。

子贡曾问孔子：“有没有一个字可以作为终生奉行不渝的法则呢？”孔子回答：“其恕乎！己所不欲，勿施于人。”

“恕”是凡事替别人着想的意思。其意是，自己不喜欢做的事，不要加在别人身上。

自己喜欢有面子，就得给别人留面子，不能事事较真，弄得大家都没退路。别人得罪你，不要着急生气，这么做肯定是有原因的，因为没有人愿意无缘无故树敌，或许是对方遇上了什么困难，心情抑郁。这时你不妨体谅一下对方，只要不是什么特别过激的行为和言辞，就应该宽大为怀，或以柔克刚，晓之以理。

假如较起真来，大动肝火，实在不是聪明人的行为。连这点面子都不肯给人家，以后就别想找人办什么事了，结果可想而知。

PART

02

真正的友谊，是一棵缓慢生长的树

什么是
真正的朋友

如果被问到是否知道友谊是什么或者如何交朋友，大多数人都会回答：知道。既然我们在人生的某些阶段都交了一些朋友，并在其中付出了努力，我们怎么可能对友谊不甚了解呢？俗话说得好：患难见真情，说的就是在你最需要帮助的时候帮你的人就是真朋友。因此友谊很大程度上指的是提供帮助，在任何有需要的时候提供帮助。这就已经很好了！这不可能有错，因为乐于助人一直以来都是好品质。然而，问题在于这是否就抓住了友谊的本质？看看下面这段父子对话：

儿子：爸爸，你怎么有这么多朋友？

父亲：可能在朋友眼中我一直都乐于助人。

儿子：我也乐于助人，也帮助过不少我认为可以当作朋友的人，但结果我没有几个亲密朋友。

如果友谊仅仅是提供帮助、对朋友有用，我们如何解释为什么这么多友好、乐于助人的人最终没有获得他们应得的那么多朋友？ 这个困惑的答案在于这些表面上友好的助人之举背后的倾向。不是怀疑这些助人者的真诚，而是要区别以下两种倾向：

我提供帮助，因为大家都说助人是一件善事。

我提供帮助，因为我的朋友在此时需要的正是这样的帮助。

如果我们的助人行动是基于第一种倾向，我们也许是出于真诚和好意，因此会得到道德上的嘉许。无疑这是友好的举动，但值得怀疑的是，这种举动在多大程度上对友谊起作用？ 问题是，在这种思想背后是一种如激进的女权主义者玛丽莲·弗里德曼说的“对于抽象道德准则的忠诚”，而不是“对于人的忠诚”。在忠于抽象道德准则的过程中，我们尽可能友好并尽我们所能提供帮助（假设这就是大多数道德准则赞同的做法）。但问题是，我们可能是基于一般化的规则去提供帮助，而没有考虑到“特定的场合、特定的人和特定的事”。也就是说，我们也许仅仅是在一些特定的场合、特定的时间中遵从了一些外在的指令（例如提供帮助），而没有考虑到我们面对的是什么人。而提供帮助者也许仅仅是通过遵守一些公认的道德准则来完成道德行为，而不是真正地帮助某个独特的、对他来说意义重大的人。然而，从接受帮助的一方来看，对方是否是基于对他们提出的实际需求以及两人之间的独特关系来提供帮助，这一点意义重大。

无疑，接受帮助肯定是令人受益的事。但我们还是在意自己到底只是众多受益者中的一个，还是被朋友看作是一个特殊的个体。当然，我们不会怨恨那些对所有人都友好的朋友，但我们肯定不会把这样的人看作亲密朋友。在真正的友谊中，我们寻求的关注是，正如弗里德曼所说："对于某个独特个体的忠诚。"这种忠诚的特别之处就在于它关注的是个体独特的"需要、渴望、自我认同、历史，以及涉及独特个体的方方面面"。

在忠于一段友谊这个新的信念下，不再是盲目遵从某种教导我们好好做事、好好待人的一般规则。相反，它要求我们把朋友当成拥有独特的背景、兴趣和问题的独特个体来给予独特的关注。表示我们的关心和关注的方法，不只是遵从一般的、机械化的"助人"的原则，我们必须在每个具体的事件中作出做什么或不做什么的判断，这种判断"基于我们朋友的特别的需要、兴趣和价值观"。简而言之，真正的友谊只有在这样的情况下才能发生：你的朋友根据你是谁、你们共同经历了什么、什么是你的最大利益，来为你做事，而不是仅仅遵守一般道德原则。根据这种理解，有两点对于"忠于人"是很重要的：

第一，人与人的关系要想发展并最终转化成真正的友谊，我们到底多慷慨、多友善其实不是那么重要，重要的是我们了解对方多少、在多大程度上欣赏（虽然不是共享）对方的价值观和兴趣。如果没有一定的了解和欣赏，我们如何能针对一个独特的人来行动或表示关心呢？与朋友相处，重要的不是你是否能借给他钱或帮他通过考试，而是你是否愿意认真倾听并理解和欣赏他的职业发展、价值观、生活方式。

第二，给朋友提供利益或帮助并不是我们关心朋友的最好的方式。支持和帮助，尤其是金钱方面的帮助，如果时机不当，可能会损害友谊。即使我们非常在乎朋友，也不是对所有的朋友在所有的情况下都该同样地行事，该做什么不该做什么还是要取决于某个朋友的独特的需要、价值观和目标。也许大多数时候，我们及时的帮助会得到朋友的感激并有利于友谊发展。然而，我们的热心也可能在某些时候让人难以接受，甚至被看成是一种居高临下的施舍。真正的友谊，或者对一个人真正的忠诚要求我们判断何时该借他钱，何时该不予理睬；何时帮他成功，何时看着他跌倒；何时为他牺牲，何时放手不管。

在乔治·奥威尔不太出名的一本小说《让叶兰飞舞》中，描述了高尔顿和拉弗尔斯顿的一段艰辛的友谊。故事的背景是20世纪30年代的英国，高尔顿是一个有些文学天赋的年轻人，他本可以轻松地得到一家广告公司的很好的职位。但他把自己看作是一个高贵的诗人而非一般的广告人。所以他辞掉了广告公司的工作，开始了清贫的生活，在一家二手商品店当店员（每月只有两英镑工资）。原因是：他要发动一场针对金钱的战争，要远离资本主义的拜金主义生活。最后他发现以这点收入不足以维持他过体面的生活。当高尔顿为自己那贫民区的房租发愁时，拉弗尔斯顿正舒适地住在位于丽根公园附近的四室公寓中。

高尔顿最大的问题是他"英勇的选择"：那个每月两英镑的工作既没有给他带来尊严，也没有让他成为英雄，而拉弗尔斯顿的问题是他的800英镑年金给他带来了耻辱，因为这对于一个想成为"无产阶级一员"的他来说太多了。尽管二人的地位、财富相差悬殊，他们却成了好朋友（至少在小说的前半部是如此），因为他们有两点共鸣：对文学的热爱和对资本主义的不满。

很明显高尔顿这个人很难相处，如果你是他朋友的话，就更难跟他相处了。

拉弗尔斯顿与高尔顿“保持”了很好的友谊。有一次他帮高尔顿找了一份工作，但他不是遵循助人和友善的抽象的道德原则，他也从未把他认为“好”的东西强加给高尔顿。更重要的是，他知道高尔顿要的是什么并尊重他的选择。奥威尔这样描写二人的关系：高尔顿找拉弗尔斯顿并请求帮助。他说他需要一份工作，不是“好的”工作，而是一份能维持肉体的生存而不至于吞噬了灵魂的工作。拉弗尔斯顿对他的请求完全明白。关于“一份工作”和“一份好工作”的差别也无须再多解释了……（拉弗尔斯顿）总能站在别人的立场上去思考。

奥威尔是对的，他说拉弗尔斯顿最可贵之处就在于他从未把他认为是体面的、舒适的生活方式强加给高尔顿或以此来帮助他。在维系这段精神平等、物质不平等的脆弱的友谊中，拉弗尔斯顿很成功（最初是如此），因为他能够根据高尔顿的独特的需要和价值以某种微妙的、独特的方式提供帮助。

除了花费心思帮高尔顿找一份“工作但非好工作”之外，拉弗尔斯顿还在很多方面很细心，以免伤到高尔顿的自尊。他们见面时从不去餐馆，也不一起用餐，因为任何涉及钱的活动都可能对高尔顿是一种羞辱。所以他们要么就是在大街上，要么就是在酒馆里见面，因为只有在那里“高尔顿才感觉和拉弗尔斯顿是平等的”。即使在酒馆，高尔顿也不会允许拉弗尔斯顿请他喝一杯，因为他们都知道他们的友谊只有在“高尔顿认为自己付了他该付的那一份”时才成为可能。

高尔顿和拉弗尔斯顿之间脆弱的友谊很好地说明了要“对一个人忠诚”是要有所付出的。要想维持和发展友谊，我们需要的不仅仅是慷慨和热心。我们必须忠于并关心那个作为“独特的个体”的朋友（如高尔顿），这个独特的个体拥有独特的历史、需要、价值观和目标。通过这个故事我们看出，与简单地遵从一般道德原则不同，有时候很难对某个真正的独特的个体忠诚的原因是，它需要更多的敏感、耐心、谨慎思考和良好判断。有人可能会说，也许高尔顿是个难伺候的家伙，因此他与拉弗尔斯顿相处才显得格外累心。的确如此，但不论怎么说，如果我们不去关心朋友的一些需要，不去适应彼此不同的价值观，不去容忍一些不合理的要求，就不会产生真正的依恋关系和亲密联系，而这正是真正的友谊不可或缺的部分。

言行低调的人
朋友遍天下

古人云：“唯宽可以容人，唯厚可以载物。”

“将相和”的故事里，蔺相如对待廉颇的态度，是建立在国家政治基础上的宽厚；生活中“大人不记小人过”，是建立在个人品格节操基础上的宽厚；朋友之间“以后再不能说这种话、办这种事了”的提醒，是建立在友谊感情基础上的宽厚。

我们每个人无论处于什么样的环境中，都不是独立存在的，也不是离群索居的，如果一个人没有朋友的话，那么势必会感到孤独和无奈，所以就有了人与人相交的关系。 也就是说，交朋友成了人们必不可少的一种生活方式，交朋友是一种生活乐趣，也是一种心灵的愉悦。

但是，我们和朋友交往，必须真诚相待，为人宽厚，这也是我们为人处世的原则。 我们对朋友要以诚相待，而不是两面三刀，背信弃义。 为人处世，要保持一颗纯洁善良的赤诚之心。 只有这样，你才会得到最真心的朋友。

与朋友患难与共，仗义执言，两肋插刀，这才体现了朋友的真实含义。如果你与朋友患难与共，当他们有困难的时候，你挺身而出，为朋友摆脱了目前的困境，只要朋友不是冷漠的人，他们会感激你，而且会把你当成是自己的患难之交。因为人类的感情非常丰富，所以“义侠交友，纯心做人”才是人生最深刻的哲理。

民间讲“宰相肚里能撑船”，说的也是待人处世肚量要大，待人要宽。“大肚能容，容天下能容之事”，意思是要宽容一切。

古人讲“宽则得众”，对人宽厚就能赢得众人之心。现在流行说“宽以待人，严于律己”，说的是对他人要宽容大度，对自己要严格要求。

如果能做到这些，相信你会交到更多的朋友。

适度示弱，适当自贬

人的牙齿很坚固，然而几十年便纷纷脱落了，而舌头最柔软，往往却能够百年长存。

在老子看来，凡“生”者必是“弱”的，而以“强”自居者，“死”期已将至。

受自尊心的驱使，人们总是对自己的缺点和短处讳莫如深，不甘示弱。其实，如果对示弱巧妙地加以运用，它会成为赢得成功的有力帮手。示弱是化解嫉妒、维护团结、和睦相处、共同进步的重要手段。恰当地“自贬”，有时反会出奇制胜。

兔子斗隼鹰，可谓实力悬殊。当苍鹰张开利爪向兔子发起凌厉攻势之时，机敏的兔子佯装死去，等待完全放松了警惕的苍鹰扑上来，突然集中浑身气力于双腿，猛然一蹬而击毙隼鹰。这就是兔子巧胜苍鹰的方法。军事上把这种示弱诱敌、巧搏智取、以弱胜强的方法称为“兔搏苍鹰”战术。它的基本思想是：与强敌作战，力避正面硬拼消耗自己，力争出其不意以奇取胜，在与敌交战的过程中，强调运用计谋，巧设圈套，诱敌上钩，并千方百计麻痹敌人，在敌人毫无戒备之时，突然“重拳”出击，置敌于死地。

三国中有名的诸葛亮“空城计”“草船借箭”，是典型的以弱示弱、以柔克刚的战术变通。

“火烧博望坡”是诸葛亮出山指挥的第一仗，夏侯惇率精兵十万，杀奔而来。诸葛亮利用夏侯惇的轻敌心理，派赵云统领杂乱、旌旗不整的羸弱队伍前去迎敌，使夏侯惇更加心骄气傲：“吾笑徐元直在丞相面前夸诸葛亮为天人，今观其用兵，乃以此等军马为前部，与吾对敌，正如驱犬羊与虎豹斗耳。”又让刘备率弱兵于途中进行毫无攻击力的“接应交战”，使夏侯惇完全丧失了军事将帅应有的警惕性：“敌军如此，虽十面埋伏，吾何惧哉。”结果横冲直撞，钻入诸葛亮布置好的火攻圈套，大败而归。

古人云：“木秀于林，风必摧之；堆出于岸，流必湍之。”老子教人“人之生也柔弱，其死也坚强。万物草木之生也柔脆，其死也枯槁。故坚强者死之徒，柔弱者生之徒”。弱者示弱，可以保护自己，为自己套上一层软甲，使自己先立于不败之地，在未强大之前，不会让你四面受敌，伤痕累累。所示之弱又是有目共睹无法回避的缺点或弱点，自己事先表明，可避免给人可乘之机。

在春秋战国时期就有这样的先例，世外高人鬼谷子有两个学生，就是当时赫赫有名的庞涓与孙膑。庞涓知道孙膑的才能在自己之上，嫉妒使他产生邪念，要置孙膑于死地，扫除自己前进道路上的障碍。孙膑早已看出庞涓的邪念，才装疯卖傻躲避了杀身之祸，成为军师的孙膑为齐国立下了赫赫战功。留有《田忌赛马》《围魏救赵》这样传奇的故事让后人们得到智慧的启迪，更有在后来军事史上影响颇深的《孙膑兵法》一书。

人际交往中，在特定的情况下亮出自己的弱点，往往是一种有益的处世之道。适度“示弱”有以下好处：其一，可以减少甚至消除嫉妒，人们对成功者产生嫉妒是一种天性，适度示弱可以将其消极作用降到最低限度，更可以消除敌意，化干戈为玉帛；其二，示弱可以给人一种你这个人诚实可靠的感觉；其三，适度示弱，有意让对方看轻自己，这样容易被人接纳，与人打成一片，又可在关键时刻脱颖而出，让人大吃一惊，印象深刻。进可以攻，退可以守，收敛触角并蓄势待发。一个人想干成事业，一要靠自己帮忙，二要靠别人帮忙。所谓要靠别人帮忙，就是必须具备良好的人际关系，尽可能减少行进过程中的“摩擦系数”。

美国哲学家杜威曾经说过：“人们最迫切的愿望，就是希望自己能受到重视。”而向人示弱正是一种让对方觉得自己受重视的表达方式。它更是一种策略，一种智慧。它具有疏通人际关系的积极效果，有时还能发挥变被动为主动的作用。适度示弱能给人以一种心理平衡，能拉近你与他人的距离，消除你前进道路上的障碍。但示弱也要适可而止，否则会给人虚伪的感觉。

关系是死的，人是活的

不是每个人都有扎实稳健的人际关系，很多人苦于没有关系，所以办不成事情。其实关系是死的，人是活的，这个世界上没有打不通的关系，只有不够努力的人。

“没有机会创造机会也要上。”不要总是抱怨没有关系可用，你不去创造关系，难道关系还会主动找上门不成?

韩愈在《劝学解》中有句名言：“业精于勤，荒于嬉；行成于思，毁于随。”“业”是什么？“业”是一切我们想要从事、即将从事或正在从事的事情。拉关系同样是一种“业”，关系要拉得勤，要不然再好的关系也会疏远；拉关系要不厌其烦，这次热脸贴了冷屁股，说不定下次就无所不谈了。

拉关系没有想象中困难，请人办事关键要诚恳主动，想尽一切办法联络上关系。有一些看似走不通的门道，其实绕几个弯、隔几个人，也就变得畅通了。即使真的没有什么联系，还有毛遂自荐这一招，这是最后的一招，也是最实在的一招。一旦成功，这关系完全就是你个人的了。不要太过于相信所谓的中间关系人，他本来没有什么利益关系，自然不会尽力帮你。

薛仁贵是唐初有名的战将，曾经立下过赫赫战功，至今名垂青史，被人们广为传颂。但是有几个人知道，薛仁贵之所以能够成为一名战功卓著的大将军，完全是靠他自己闯出来的。众所周知，唐太宗李世民手下名将众多，一般将领更是数不胜数，而当时薛仁贵只是一个没有任何官职的小兵。薛仁贵空有一身好本领，但是苦于无从施展，他有时会对其他小兵说："只要让我见到皇上，我就一定能说服他让我做先锋，凭我的本事，绝对能立下战功。"其他小兵听了他的话都纷纷嘲笑他，认为这简直是天方夜谭，区区一个小兵，怎么可能见到九五之尊的皇帝呢？可是薛仁贵并不这样认为，他成天都在盘算着怎么才能让皇上看到自己，并让皇上召见自己，封自己做将军。终于有一次，薛仁贵的机会来了。

唐贞观十九年（公元 645 年），唐太宗李世民由洛阳出发，亲征高句丽。高句丽派大将高延寿和高惠真率 15 万大军前来迎战。唐太宗设计将他们诱至安市城东南 8 里，双方展开决战。

李世民选了一个高坡亲自督战。薛仁贵也随军参加了这次战斗，当他看见李世民在高坡上亲自督战的时候，他知道自己的机会来了。他知道一定要让高高在上的李世民清清楚楚地看到他在战场上的战功。当时战场上阴云四起，雷电交加，唐军将领刘君邛被敌军团团围困，无法脱身，没有人能够前去营救。李世民见到这种情况很着急，正要下令去营救刘将军，突然看到唐军中冲出一员身穿耀眼白袍的小将，手中握着方天画戟，腰挎大弓，大吼一声杀入敌阵。敌将惊慌失措，还没来得及分兵迎战，阵形已被冲散，士卒四散奔逃。唐军在那员小将的率领下拼杀过去，高句丽军大败。

战事刚一结束，李世民马上到军中询问："刚才冲在最前面的那个身穿白袍的将军是谁？"并派人马上去查询。等到查询人员一到，薛仁贵就立即让他看自己缴获的战利品，还展示了自己的武艺。查询的人回来后回报道："那不是一个将军，只是一个小卒，他的名字叫薛仁贵。"

李世民闻之大喜，专门召见了薛仁贵。薛仁贵在见到李世民后，大表其忠心，说自己苦于报国无门，一直十分懊恼，还在唐太宗面前展示了自己过人的臂力。唐太宗对他大加赞赏，还赏了他两匹马、四十匹绢，并加封为右领军中郎将，负责守卫长安太极宫北面正门玄武门。此后，薛仁贵多次率兵南征北战，立下了"三箭定天山"的功劳，官至右威卫大将军、平阳郡公兼任安东都护。

世上没有免费的午餐，一切关系都是靠自己创造出来的。有求于人的时候，你处在弱势，别人处在强势，被迫委曲求全是难免的，也是必要的，别把面子看得太重，得到好处才是最重要的。"厚"是拉关系所必然经历的阶段，不要怕失了自己的身份，对有必要拉上关系的人要反复联系，即使刚开始对方对你完全不感兴趣也无所谓，只要你周而复始地创造机会，就会慢慢地在别人的脑海中留下印象。

拉关系要讲究手段，至少要先让别人知道有你这么个人，然后才能谈论其他的事情。这个时候就要够"厚"，所谓"厚"就是考虑的事情不要太多，要不怕打击，不怕阻碍。想在他人面前凸显自己，关键是要给你想攀上关系的人留下一个很好的第一印象。

言多必失，语多伤人

一个人在与他人的交往中，言语交流是必不可少的。拥有好口才，能言善辩，应对如流，确实能够展示自己的风度、才干，获得交往的预期效果。

但是，在许多场合，好口才却不能派上用场，甚至还存在“成事不足，败事有余”的风险，对交往不利。这时，保持缄口不言——闭着嘴巴不说话，反倒更利于与人打交道，更能收到交往的预期效果。

一个人在情绪失控的场合下，任何安慰都难以使当事人接受，不如等对方冷静下来，恢复了理智，再同他交谈为好。

有些人在遇到麻烦的时候喋喋不休，殊不知，这样正好暴露了自己的弱点。处在尴尬情况下，与其聒噪不停，甚至说错话，倒不如保持沉默。宋代词人黄升在他的词中这样说：“风流不在谈锋盛，袖手无言味正长。”

庄子曾经说过：“大辩不言，至人之用心若境，不将不迎，应而不藏，故能胜物而不伤。”意思就是，最有口才的人，往往表现在善于闭着嘴巴不说话。其心像镜子一样明亮，虽然清晰地映照着事物，却由任何事物来去而不加以迎送。因此能够自如地对接事物而不劳心神，最终战胜事物而自己却无任何损伤。

人与人之间的交往，不管是哪一种“说”——聊天、座谈、辩论、询问、质疑、发言、讲课等，对言者来讲，都是以声音这一物质形式对听者施加刺激。这种刺激被听者感知以后，会迅速产生理解的反射，继而做出决断，促成自己应对的行为。所谓“兵来将挡，水来土掩”“你有来言，我有去语”就是这种应对行为。于是俗话中就有了“听话听声，锣鼓听音”之说。

反过来，交往之中如果本该说时却偏偏不说，这就等于把自己的内心世界完全掩藏起来，让对方觉得高深莫测，也就无从产生理解的反射，并且还会让对方在心理上造成一种无形的压力，引起一系列的疑问和猜测：对方是默许、赞许、同情、反对、胆怯、恐惧、轻视、尊重、怀疑、动摇、抗拒？由于对方不说，自己什么都无法知道，于是引起自身的不安、惶恐、烦躁，导致自信的丧失，情绪的低落，意志的动摇，斗志的锐减。

思想观念的迥异，或追求利益的不同，往往在社会上形成一定势力的团体或派别。这些团体和派别之间不时发生摩擦或争斗，甚至是针锋相对、你死我活的斗争。在这种复杂多变的形式中，要想尽可能地避于其外，就不能轻易地表露态度和心迹。否则，就很容易卷入其中，惹火烧身，自食后果。

在特定的环境中，你完全可以不必说那么多话，用沉默表达的不满，会让对方感到不安，从而反省自己。通过这种毫不费力而又不伤和气的方法来达到目的，是真正明智的选择。

法国有句谚语：“雄辩是银，沉默是金。”在我们的生活工作中，有些时候确实是沉默胜于雄辩。与得体的语言一样，恰到好处的沉默也是一种语言艺术，运用好了常会收到“此时无声胜有声”的效果。

适时的沉默像乐曲中的休止符，它不仅是声音上的空白，更是内容的延伸与升华。它是一种无声的特殊语言，是一种不用动口才的“口才”。

在生活中，我们有时故作“迟钝”未必不是聪明的做法，“迟钝”的背后隐藏着过人的精明。有人推崇一种“大智若愚”的艺术——在活动时多听、少说甚至不说，显示出一种“迟钝”。其实这样做的目的是为了获得最大的利益。少开口不做无谓的争论，对方就无法了解你的真实想法，你还可以探测对方动机，逐步掌握主动权。这时候的沉默，实际上是“火力侦察”。

“话到嘴边留半句，不可全抛一片心。”我们应该恪守“言多必失，语多伤人”的古训，把缄默奉作练达的安身处世之道。

重要的是
你认识谁

好莱坞有一句名言："重要的不在于你懂得什么，而在于你认识谁。"人生存在转机，就看你能不能遇到生命中的贵人。

冈岛悦子在《人脉力》一书中说道：一说到构筑人脉，人们大多都会认为巧妙地利用门路生存、省力高效地生活（强调效率性、生产性），然而，构筑人脉真正的意义应该是有意志和能力的人为了获得能够最大限度发挥自己能力的机会而实施的活动。

胡雪岩很小的时候由于家境贫困，只能给别人的店铺做伙计。

一次偶然的机会，胡雪岩认识了一个叫王有龄的官宦后代。本来两种圈子里的人，两种文化底蕴，不可能有什么共同语言，但是胡雪岩却觉得和王有龄很投缘。通过与王有龄的深入交谈，胡雪岩越发觉得王有龄绝非等闲之辈。胡雪岩很欣赏王有龄，也愿意尽自己的力量帮助他。

那时候王有龄虽然有做官的机会，但是却没有进京的费用。胡雪岩顶着入狱的危险，把自己收账拿回来的 500 两银子给了王有龄，让他去京城做官。王有龄有了官做，但胡雪岩却因此失去了工作，吃了“门板饭”。王有龄知道后，深感胡雪岩的恩德，二人结为生死兄弟。

王有龄是官老爷，胡雪岩依然只是个小人物，在他自己的圈子里，他算是生活得很舒适的一个人。胡雪岩当然不甘心一辈子做小人物，他志存高远。而王有龄也有意给胡雪岩机会，因为他发现这个小伙子的聪明总是能帮到自己。

新官上任，王有龄的最大难题就是浙粮京运。在他赴任之前，已经有一位二品大员因耽误了漕米而自杀。胡雪岩为朋友设计了“以商米代漕米，确保浙粮京运”的计策。为了确保任务完成，胡雪岩还亲赴上海，不顾危险，进入漕帮，凭着聪明才智与漕帮首领成为朋友。这样，王有龄才能顺利完成任务，之后，王有龄官声大振，很快升为湖州知府。

但是胡雪岩并没有依靠王有龄的势力，他是一个善于结交的人，经过经营，他认识了很多高官显贵，这也为他后来的家族事业起步奠定了良好的人脉基础。

大人物圈不好进，是因为对于大人物来说，特殊的身份地位让与他结交的人都显得目的不纯，这会让他非常反感，不耐烦。这也是为什么很多小人物不愿意与大人物结交的原因。与大人物结交，不像和自己周围的小人物结交那样舒服。胡雪岩的聪明之处就在于他把功夫下在大人物发达之前的时段。这时候，交往能够顺利进行。

人脉投资是一件很难的事，没有慧眼，就很难发现谁将来能发迹。为了成长，我们有必要去接触当下就已经是大人物的人。我们要敢于跳出自己的舒适圈，去寻找能激励自己上进的大人物。王有龄并不是胡雪岩唯一的朋友，他还有很多身份地位比自己高很多的大人物朋友，因为胡雪岩不愿给自己一个小人物的定位，他不愿意舒适地待在小人物圈中。

一些清高的人认为：小人物结交大人物不过是阿谀奉迎、低眉折腰，所谓事权贵，不都是奴才型的人才能做的吗？其实，这是一种误解。无论是小人物的与人交往，还是大人物的与人交往，其性质都是一样的，都是一种需要。当你成为大人物需要的小人物时，那么你有必要低眉折腰吗？

生活其实就是一种被折磨和自我解脱的过程。我们得接受很多内心无法接受的东西，目的无非是让自己过得更好一些。至于大人物、小人物之分不过是人们的地位意识在作怪。小人物结交大人物，本来是一种堂堂正正的交往，只是因为这些潜意识的东西存在，使得这种交往形式被赋予了很多灰暗的色彩。其实你仔细想想，那不过是你不想突破的懒惰的借口罢了。

人脉联系是一种投资而非一件讨厌的事。想一下你是否总是能通过一两句话就能轻松地搞定你要做的事情？如果你是一个善于经营人脉关系的高手，你可能就很轻易地做到这些。花费一些时间去经营你的人脉，就会节省你做事的时间。有好的人际关系的人不会浪费时间去发一些零星的邮件给不认识的人，也不会浪费时间在采集信息或行业清单上，以及从上千张简历中挑选合适的人才。快决定吧，你是想现在就行动呢，还是以后？

（1）尽可能多地参加社交活动。认识关键和重要的人物，首先要开放你自己，从各种渠道入手，而不是仅仅局限于你经常所接触的圈子，除非你本身已经是个很高端的人物。

比如学生可以争取以志愿者或义工的身份参与学校各种重要活动、成功人士讲座、校外的会展等；毕业生争取进一流的大公司，通过职业交际结识更多杰出人士；有一定积蓄和工作经验者，就可以多多参与有顶尖人士的会议和论坛。

（2）建立自己的人脉数据库。建立人脉得花点心思，善于运用自己的工具，如名片夹，或者在文档中将人脉的联系方式、生日、特长爱好一一登记，大至领导，小至送水、送复印纸的供货商，你都可以转化成自己的资源，以备不时之需。

（3）善于借力。对于要转行的同事，要不吝请教，他会在走前把自己的客户一并转给你。当然，你要知恩图报，毕竟你和他的人脉建立联系是下一步的事情；而他对你的评价，才是先于这一切的重点与要点。

（4）做好自己，吸引人脉。你的能力越强，你在这个圈子里的知名度与美誉度越高，你名字的点击率越高、价值越大，别人愿意替你付出的可能性也就越大。

很多已经功成名就的大老板交昂贵的学费去名校读MBA，不仅仅是为了进修获得知识，同时也是为了那个含金量极高的同学圈子。为了帮助老板们拓展人脉，有人看准这个市场成立有档次的俱乐部，其成员就有投资公司的老板、证券商、银行家，他们手中掌控着数千亿元的资本和无限商机。

如上种种，虽不值得推崇备至，但我们可以从中得到启发。日常生活中的战友圈、同学圈、同事圈、好友圈、领导圈等，都需要用心去经营。

（5）杜绝“一次性”人脉。如果人和人之间，你帮了我，我帮了你，之后就再也没有来往，这是最失败的人脉。

人脉，最关键的是随时来往，随时联络。

好不容易认识的人脉，如果不主动地维护，就可能会断线。有的人有事时才给人打电话，开口就是求人帮忙，这样往往会引起别人的反感。固然是无事不登三宝殿，但如果平时烧烧香，人家是不是会记得你一些呢？所以，善于运用一切通信工具，如电话、电子邮件、QQ、微信等，比自己资历高的，就汇报汇报工作生活；平辈的，东拉西扯聊聊天，人脉就是靠千百次聊天维系着，一有需要，说起来毫无愧色。

记下那些对他们来说特别重要的日子，比如生日或周年庆祝等。打电话给他们，至少给他们寄张贺卡，让他们知道你心中想着他们。

成功在很大程度上取决于你拥有多大的权力和影响力，与恰当的人建立稳固关系对成功至为关键。如果你的人脉关系是健康有意义的，就必须持续下去。你永远不知道你的人脉关系会在什么时候给你带来好处或利益。人生存在许多变数，有些人是今天认识新朋友，明天忘记老朋友。世界变得太快，今天已变成历史。所以，不能简单地以为朋友交完就完了。

对手是你成功的动力

对手，对于我们每个人来说，永远都是与我们相对立的。然而，在漫漫人生的长征路上，对手是同行者，也是挑战者。他们或许是有形的，抑或是无形的。他们可以是我们眼前的障碍、学习中的竞争对手或者希望和目标的争夺者。对手会给我们的人生道路带来诸多不便与坎坷，然而正因为有了对手，我们的生活才不会像白开水一样平淡乏味，而变得美丽、变得七彩斑斓；正因为有了对手，我们才不会像人工养殖的鲜花一样柔弱纤纤，而变得越来越坚强；正因为有了对手，我们才能享受到真正的快乐。

学习、工作中往往有这样的感受：每当因为挫折或失败而失意时，就会发现自卑这个强大的对手正向你张牙舞爪；每当因为成功而得意忘形时，会发现乐极生悲也悄悄地靠近你……其实有太多太多的对手每时每刻都伴随在我们身边。我们所应该做的，不是逃避也不是埋怨，而是敞开宽广的胸襟友好地说一声：感谢对手！如果你逃避对手，同时也就失去了一次尝试改变现状、超越自己的机会，永远止步于现在的水平。

对手是我们前进的动力。在如今竞争激烈的社会中，“狭路相逢勇者胜”，正是由于对手，才使我们认识到自己的不足，才使我们认识到要发展自我。对手就犹如一面铜镜，能照出我们的不足，激励我们不断学习、不断发展。

姚明刚刚进入美国职业篮球大联盟的时候，曾被很多人看低，人们认为他只是有一定的身高，篮球智商并不高。初次登场打球，很失败，虽然有全联盟最高的海拔，但还是挨了别人的一记“火锅”。同他对战的许多对手，如斯塔德迈尔、“大鲨鱼”奥尼尔等都不把他放在眼里。姚明根据这些对手的特点，分别制定不同的训练计划，逐渐找到了克敌制胜的办法，对手也逐渐对他重视起来。经过几年的历练，姚明一步步成长为全联盟的顶级中锋。后来姚明回想起来，非常感谢自己的对手，正是这些对手使他有了向前的动力。

现实中有许多人把对手视为眼中钉、肉中刺，总想把对手消灭掉。其实，拥有对手也是一件可喜的事，对手既是我们的挑战者，也是我们的同行者。对手唤起我们的斗志，促使我们进取，帮助我们更上一层楼，使我们变得更加完美。

让人一步，得益十步

一个性格宽容的人一定是一个乐于施恩的人，因为施恩能够开阔一个人的心胸，使人心甘情愿、不计报酬地去帮助遇到困难的人。当然，人非草木，孰能无情，乐于施恩的人自然能够得到他人的热心相助。反之，一个性格刻薄、狭隘的人常常会以一种敌视的眼光看待周围的一切，只顾着把自己武装得更加严实，并处处提防他人，这种人必将陷入孤独和无助中。

一个人如果心胸狭小、自私自利，必将难以容人，自然难成大事。一般而言，成大事者往往是那些心地宽广、热情善良的人，因为他们能够用宽容征服一切。对个人而言，宽容往往会使自己拥有更好的人际关系，从而在事业上得到他人的一臂之力。

生活中，我们也许会看到他人在为难的时候能够得到热心人的帮助，难免会投去羡慕的目光。如果此时想到自己曾经在为难的时候陷入孤立无援的境地，难免有些伤感。其实不必如此，只要从现在开始学会施恩，就会在将来遇到困难的日子里得到有心人的真诚相助。不必感谢上苍，因为这是你靠自己修来的福分。

春秋时期，楚国国君楚庄王在位时，国内发生了叛乱。楚庄王亲自率领军队前去平乱。凯旋后，楚庄王非常高兴。为了表示祝贺，他于当晚在宫中设宴，邀请所有朝臣入宫共享盛餐。

宫中烛光摇曳、歌舞升平，一派欢乐祥和的景象。臣子们推杯换盏，开怀畅饮，仍感意犹未尽。楚庄王被这样的情景所感染，为了助兴，让容貌出众的爱妃许姬为各位臣子敬酒。顿时，宴席进入了又一个高潮。正当许姬绕着酒桌挨个向群臣敬酒时，一股大风向大厅猛烈吹来，桌上的蜡烛全部熄灭，整个大厅陷入了一片黑暗之中。这时，突然有人拉住了许姬的玉臂。许姬见过的场面多了，虽然受了惊吓，但心中并不慌张，而是灵活地扯断了这个胆大包天者的帽缨。

很快，大厅恢复了光明。许姬快步走到楚庄王身边，低声把刚才发生的事告诉了他。楚庄王知道后，示意许姬不要声张，然后向群臣喊道："能够与群臣同乐，我非常高兴。今晚不必行君臣之礼，大家都把帽缨摘下来吧。"于是，群臣纷纷摘下帽缨，那位调戏许姬的人逃过了一劫。

宴罢，许姬问庄王为什么要这样做。庄王回答道："今晚我与众臣同乐，臣子开怀畅饮，酒后失礼是难以避免的。戏弄你的人自然犯下了大罪，如果当众找出此人，必然要治他死罪。如果此人是有功之臣，治其死罪自然会让将士寒心。失去了人心，就等于失去了国家。"

后来，楚国与郑国交战，楚庄王率军出征。由于郑国早有埋伏，楚庄王被郑军围困。正在生命攸关之际，楚军中的一位副将拼死冲入郑军，护着楚庄王突围而出。回朝后，楚庄王欲重赏此人，却被此人辞谢。原来，这位副将便是庆功宴上乘着酒兴摸许姬手臂的人。

楚庄王这次之所以能够脱险，善于施恩是最主要、最直接的原因。要知道，一旦揭发了那位副将的不雅行为，副将无疑会被处死。正是由于楚庄王的特意掩饰，副将才能保留性命。为了感谢楚庄王的不杀之恩，他才不顾自身安危，全力营救楚庄王。

施恩其实很容易，毕竟没有人一帆风顺，人们总会有遇到困难的时候。当看到有困难的人时，就可以及时地伸出援助之手。当有人直接倾诉了自己的困难时，如果在能力允许范围内，更应该诚心相助。

也许你的付出不过是举手之劳，或一箪食一瓢饮，但在有些时候却能够给他人带来很大的帮助。也许你会将这些受到你帮助的人忘记，但他们中的绝大多数是不会忘记你的。当你需要帮助的时候，他们会突然出现在你的面前，用感恩的双手将你拉出困苦的泥潭。

PART 03

因为爱过，所以变成最熟悉的陌生人

变心的真相

人们了断感情的时候通常会用以下借口：

（1）你变了——总之你不再是当初我爱过的人。

（2）你不再了解我了，另一个人比你更了解我。

总之，是你的错。是你变了，不是我。

不管借口怎样，在别人的口中本质是一致的：某某变心了。

其实变的往往不是对方，而是自己。

如果爱情是自己把自己催眠，那个貌似被自己爱得生生死死的人，便只是自己用“爱”这面镜子照出的那个幻影。可惜，时间久了，才发现原来自己拿着的只是一面强烈变形的哈哈镜。

因为误解而结婚，因为了解而离婚。误解，是把对方误当作了心中的那个他；了解，是发现原来对方不是心中的那个他。

变心的真相，是我们自己的爱情催眠术开始失效，逐渐真正看清了镜中的人——只要是人，便总与心中的那个幻象有相同有相异。

只不过，爱她的时候你眼睛所见的全是相同处；不爱她时你所看到的全是不同处。

原来，改变的那个是自己。是自己的迷狂退去，曾经沉浸于自己梦幻的彼此不再用寻找相同点的方法去看待对方。

“等闲变却故人心，却道故人心易变”。三百多年前的纳兰性德一语道破变心的真谛。

可是这句诗却常常被人忽视，人们更容易记住的是它们的上一句“人生若只如初见”。

初见的时候是催眠术最有效的时节，人们喜欢这一句，只因这一句是一个永远不可能实现的美好梦幻，而“等闲变却故人心，却道故人心易变”却是真实的现实。

即使只是看诗，人们也更喜欢美妙的梦，更愿意用美梦把自己催眠，而不愿意睁开眼睛看自己变心的真相。就像现实生活中人们总不愿意承认自己的错，不肯承认是当初自己的眼睛出了问题，总是更愿意相信是镜中的人上演了一出《变形记》。

因为不肯从过去的事实中接受教训，所以难免重蹈覆辙。

不仅人类的历史如此，历史中的每个人也都一样。从一段虚妄的爱情中解脱出来后，人们常常只相信自己逼近了过去那个爱人的真相，于是忙碌着找寻下一个梦幻的附着，为自己寻找下一面镜子，却依然不肯从自我的催眠迷狂中醒来。

人们总不肯去发现爱情的催眠真相，于是，故事便这么轮回起来。新的一轮误解、新的一轮了解，以及又一次“等闲变却故人心”。

其实，真正要醒的是那个虚妄的梦，要改变的是在世间寻找梦幻的浪漫，要中止的是一次次催眠自己的努力。

想念，
却不想见的人

一个男人的告白："男人很务实，不会做没有收益的事情，因此不会想见前女友，他比较有兴趣的是新猎物。如果还想见，应该是还想获得些什么。"

在某些时候、某些片段，例如一个街角阳光洒下来的角度或谁不经意的一个小动作，或是无意的一句话语，你想起了他——你的前任恋人。

其实你不是经常想起他，你们分开好一段时间了，时间不长不短，这期间你也认识了谁，试着跟谁再建立起一段关系、谈一场恋爱，但最后都不了了之。于是总在一场败兴而归的约会，或是一场索然无味的谈话之后，他就会跳出你的脑海。那时候你才发现，原来在他之后，每每认识了一个新的对象，都是对他的一种召唤。

因为，只有他听得懂你的话；只有他明白为什么你会对着植物说话，知道当你看书时为什么会哭；也只有他，从来不问你为什么总睡左边，只是帮你把枕头摆好，提醒你小心别落枕。大多数的关系只要经过时间，一起经历得够久，就自然可以建立起一种认知与理解，但唯有默契，一开始自己就会察觉。所以只要有他在，你不再觉得孤单。因此，你想念他。

但这并不是一种比较，或是一种旧与新的竞赛，你很清楚人是没有输赢的，拿旧情人比新人，更是一种自讨苦吃。只是，你也知道，这是一种对照，之后的每个人，都越发让你想念起他的好。

然而，即使如此，你却不想见他。不，你当然想看看他现在好不好，你不想要的其实只是跟他面对面。你不想跟他讲话，你不想被他问起自己好不好，因为不管自己好不好，只要见了他，自己的武装就会全部缴械。在他面前，你平时的伪装都会功亏一篑。他还是那个最懂你的人。当然你也想过复合的可能性，但也只是想，虽然当初你们分开的原因已经模糊，但直到现在或许仍然无法克服。因为在有些时候，时间只能帮你理清问题，而无法解决难题。

也或者，其实你想保留的是与他的那份爱的美好记忆。你害怕一旦见了他，自己极力留下的相爱气味，都要一并还回去。你猜这是时间的好处，它帮你筛选过滤，只留下时光里最好的部分，你还想记得恋爱的味道，相爱的感受。因此，只要能远远地、不被他所察觉，看看他，就很好。远远地，就像你们现在的关系一样，就很好。

终于你也懂了，自己之所以会想念他，其实并不是因为他的那些好，而是因为，之后再也没有一个人可以让你觉得好。你怀念的，自始至终都是——爱。

然而，却也是他让你可以这么想，是他的存在告诉了你这世界上还有这样的爱存在，并且怀抱着信念。他让你知道生命中一定会有个人再出现，像他一样让自己觉得很好，像他一样可以让自己奋不顾身。是他让你可以继续拥有爱的愿望，并且去追寻。

因为，世界上没有人应该注定孤单。一个人，如果一辈子只能爱上一个人，这样就太哀伤。所以，一定会有另一个人再出现，然后与自己相爱。你这么想，是他，让你能这么想。

何必带着负分的记忆

有时候朋友失恋了，我们通常都会基于好友的立场，规劝他想开一点，但事实上成效有限，除非他对于那段感情也是基于玩票性质的对待，只是游戏人间一场，否则谁都需要一段时间的调适才能慢慢恢复正常。 虽是老生常谈，但时间真的是愈合伤口的一剂良药，它可以慢慢地冲淡一些负面的情绪。

除非你跟初恋的对象结婚，否则在感情的世界里，分手是一种每个人都会经历的恋爱过程。 也因此，对于分手这件事情的态度，实不应太过负面，甚至毁灭性地去看待它，因为连结婚多年有了爱情结晶的夫妻，都会因为某些无法解决的因素而离婚了，所以只是恋爱阶段的分手，或许不该把它看待成世界末日吧！ 千万不要也不该过早替自己的人生写下结局，谁知道未来的你，会经历什么样的人生际遇，如此刻因遭遇自认为过不了关的事情，就停止了前进，那真的很可惜，同时也会对不起未来的你！ 你怎能替未来的你下决定呢？ 你怎知他不想再继续走下去呢？ 如果有时光机器的话，未来的你或许会回来告诉现在的你：兄弟别傻了，未来还有很多有趣的事情在等着自己！

分手主要有两种状况：一是感情淡了，或者个性不合。在观念差距太大的情况下，双方理性地协议分手。 再来则是有第三者介入、恋情生变、对方有了新欢，最后演变成撕破脸式的分手。 当然也有些人就算对方喜欢上别人了，也只是选择了祝福，然后默默地离开，并不会有太过激烈的非理性行为。 每对恋人分手后的状况很不一样，极少数的情侣分手后会维持好朋友的关系，甚至变成兄妹亲人般一样，大部分人则是渐行渐远到没有感觉，最后彼此也完全不联络，最糟的则是演变成仇人般的相互敌视，双方势不两立。

在爱情的世界里，唯一可以确定的就是没有“确定”的这件事情。 你很难去评估与预测当初如果没有分手将来是否比较幸福美满。 或许只是累积更大的灾难延后爆发而已呢？但不管其结果如何，这都是情感上的一种历练，就算受了伤，你都是扎扎实实地谈过恋爱，起码不必为赋新词强说愁，听到对味的情歌时，你会有特别的人生领悟与真实的感触。 换个角度想，因为你的人生故事不是借由电影或连续剧去揣测，去想象，或者虚构，而是由你自己亲自去体验与感受，这何尝不是一种“另类的幸福”呢？

我们有时可以不需要那么负面地看待事情，不管是感情中的困扰、工作上的压力，还是人际关系里的纷争，换个角度去看世界，这些负面的、挫败的、不如意的事情都是为了让我们的未来变得更好，都是为了让我们累积经验处理下次类似的事情，所以不妨就放下吧！ 让那些感情上无从避免的负面伤害，只停留在被伤害的那个时刻，让它只属于那段时空背景里的一段插曲，而不是你生命中的主旋律，不需要带着负分的记忆一路走下去。 因为，如果有人在感情上伤害了你，请记住，是他对不起你，你又何必为难自己，用三年五年，甚至一辈子的时间，代替他牢牢记住这件不是你的错的事情，时时刻刻带着负分的记忆跟自己过意不去呢？

就算分手
也不该恶言相向

爱情有时美就美在它的不完美，因为不完美，有些故事没有结局，甚至没有开始，于是所有的回忆都有了一路延伸无止境的想象。因为不是你欣赏与喜欢的对象，就能如愿地陪伴在你身旁，也因为这样隔着距离根本没有交往过的遗憾，所以你在心里会为他(她)永远保留一个地方，在那里，你将他(她)想象或者美化成你认为的那个模样。于是你对所暗恋以及追求不到的对方，将会付诸无止境的遐想，他(她)会永远停留在你青春记忆里对你而言最灿烂的那个模样！因为来不及交往，所以根本来不及变心，也来不及发生所有日后可能的感伤。

喜欢可以是一种欣赏，就像浏览风景一样，你只需要牢牢记住那曾经在林间深处有过的茉莉馨香，而并不是一定要千方百计、费尽心思地将原本应该在林间的茉莉移植至室内，终日与你相伴。因为没有一种花是不会凋谢、不会枯萎的，感情也是一样，尤其是仅凭外表印象的喜欢更是脆弱不堪，或许一直到最后遍体鳞伤，你才会发现有些情愫要隔着距离才会形成美感。缘分有时候只是让我们有幸路过一处瑰丽的风景，那我们也只是路过就好，不要强求，也不需要停留！有些喜欢，远远地欣赏；有些感情，保持微笑路过就好。

分手后，你唯有将一切的爱恨情仇放下，心灵的最深处才能有真正的自由。爱情最忌讳在失去某段感情后，因一时的创伤还未恢复，竟滋生出“既然我得不到，别人也别想得到”的仇恨心态；甚至极端地认为不如就毁了它，大家一起死，干脆玉石俱焚谁都别想活。这种无理性的报复行径，当然是不被鼓励的，是荒谬的，因为它从根本上就曲解了爱一个人的初衷。爱并不是只有得到跟毁灭两种，得到了，当然要珍惜，但失去了，也不能就因此将这份爱毁灭。如果你真心地爱一个人，就应该连不再拥有他(她)时都能给予真心的祝福，希望对方在未来没有你的日子，一样过得好。如果基于分手的原因与伤害，你无法假装有风度地给予对方祝福，你觉得那太虚伪不真实，那就分手后双方从此不相往来，彼此当对方是空气，存在但看不见。如此消极地面对分手，虽然心态上不够健康，不正面，但起码不勉强自己，也是一种不得已的选择。

跟旧情人理性地分手，或继续保持联络，或当好朋友，不见得适用于每个人，毕竟分手原因不同，个性不同，每个人对感情的处理态度也就不同。但起码应做到不报复、不骚扰、不谩骂般地恶言相向，这是最基本的礼貌，也是爱情中所必备的基本教养。我们都知道：曾经是最亲密的爱人，有时候一旦决裂般分手后，关系会比一般人还不如，有时连普通朋友都没得做，过去所有的甜蜜瞬间一笔勾销，瞬间归零。但其实就算分手，也不该恶言相向，因为相爱过的记忆在脑海里永远无法抹去，何不学着跟它和平相处，而不是自欺欺人地急于逃离，即使逃，你又能逃到哪里去？记忆根植在你自己的脑海里，不妨跟它和平相处，借由时间慢慢去淡忘，去让它变得不那么重要，让生活秩序慢慢地恢复，慢慢地重新开始一段新的恋情。

失恋不是失败，只是你找错了对象

失恋的痛苦多半伴随着自尊心受到损害的痛苦一同到来。 而这时维护你自尊心的唯一办法，就是不要再继续向他表白你的爱情。

要想使你所爱的人觉得你尊贵，千万不要用哀求作为追求的手段。 哀求会使一个好好的人忽然看起来卑下和笨拙。

当你知道自己的爱对对方不仅无益，反而有害的时候，当这种爱曾使自己和对方陷于众叛亲离的境地的时候，当自己和对方的爱危害到无辜的第三者或更多人的时候，就是你的爱情应该止步的时候了！

当你不能得到你所爱的对象时，不要悲伤，应该好好地祝福她的将来，好好爱惜自己的前途。 这样虽然你们没有在一起，但彼此仍会以对方为荣，仍会永远敬爱并记得对方。

恋爱只有在可以认真的时候才认真，如果你对恋爱的前途没有十分把握，那还是抱一种欣赏的态度比较妥当。

在恋爱中的朋友们，请你千万把握住恋爱所给你的鼓励的力量，使自己力求上进。而当它不顺利的时候，要虚心地接受它所给你的教训，静下来检讨自己失败的原因。

在爱情上，只有骗取对方的爱情才是罪过，而不接受对方的爱情却是诚实。

情场上的失败并不是人生的失败。不论原因在你，还是在对方，这种失败都仅仅表示一个很简单的意义——你找错了对象，因此用不着消沉灰心，否定自己。

人世间表面上缺陷的事情往往会有一种凄艳的美；表面上美满的，背后反而隐伏着空虚和悲哀。爱情的结局是否美满，有时并不能从表面上去推测和衡量，表面上结局不美满的，也许正因此而留下了永恒的好感。

痛苦的恋爱对一些人是致命的打击，对另一些人是激励的力量，只看你是否足够坚强。

在爱情上，懂得如何把感情升华为其他方面的成就，那么，不管这爱情的本身是成是败，也是值得歌颂与赞美的了。

每一次恋爱的时候，我们或许都会以为自己爱得是那么那么深，可几年之后才明白，最好最深的爱是要随着岁月一起成长的，而那些因为种种原因不能陪着你太久的情感，其实都很浅，很浅……

“他会难过吗？他又会后悔吗？”很多女人会这样问。凡是真心爱过你的男人，都是会难过的，但这并不一定能改变他离开你的决定。爱没了，他也走了，他不想纠缠到最后直到把你全看破，这也没什么错，因为还有最初的美好，还有记忆里的回味。面对你依旧温暖的背影，他当然会难过，或许也是好久好久。这一切和你很有关系，不能再爱，那就不要再辜负了怀念，不然，你连灵魂都会孤单。至于他会不会后悔，天知道，或许吧，他错了还得认识到错了，你对了并且还放了他一马，天时地利加人和，他才有可能后悔。其实这一切和你一点关系也没有，因为后悔全是不知道多久以后的事，你过得好了，旧爱回来你也未必想再看一眼；你过得不好，他才不会为你再回来。

分手即是结束，男人不问，所以他又开始了生活；女人要问，所以她又开始了痛苦。

不否认有很多分手分得“山崩地裂”，不成熟的男女在处理这种事情的时候，就会有不成熟的作为，那是爱的代价。

该来的来，该走的走，“缘来惜缘，缘走送缘，别浪费时间，这一路或许还有很多的遇见”。

管理不好情绪，挽救不了婚姻

李安的电影《少年派的奇幻漂流》中有一只猛虎，它陪伴少年经历了艰难的海上漂流。不同的人对电影中的形象有不同的解读。一位英国诗人说过："心有猛虎，细嗅蔷薇。"我们的情绪就像一只猛虎，只有当我们明白如何与之相处，才能保持心的清醒。

当女人知道老公有了小三，如果这个女人其实也不喜欢老公了，那很简单，果断离婚。但如果你想要的结果是打败小三重归甜蜜而不是离婚，最智慧的做法不是去闹，而是做到不让老公知道自己已经知道，然后，好好思考一下两人之间出现了什么问题，借助理性的智慧解决问题。

夫妻之间有一个人发生外遇，这往往并不是夫妻关系出现问题的原因，而是夫妻关系出现了问题导致的一个结果。

一个人有外遇，从道德的角度来看，是因为没有约束好自己，但从心理的角度来看，可能是某种需求未得到满足。这是从不同的角度看问题。作为一个女人，当老公有了小三，如果希望挽回，就不要忙着进行道德谴责，最好是先认真思考：怎么修复和经营两人已经出现裂痕的关系，丈夫才愿意回来。

老公和小三，也是一对“爱人”，他们也会像夫妻一样，待在一起时间久了也会出现问题。当他们两人出现了问题，而男人与老婆之间的问题已经得到一定程度的解决时，男人回来的概率就更高。

即便女人想给老公挑明这件事情，也最好把范围控制在两人之间。可以给老公一段时间，让他在原配和小三之间做出选择。而这段时间，女人一定要照样过好自己的日子，让老公感觉到老婆离开他还是可以过得很好。

通常这样处理之后，让男人在结发妻子和小三之间做选择，老婆胜算的概率还是较高的。

一个女人之所以恨小三，是因为还爱自己的男人。害怕失去，不可避免的伤心、嫉妒、迷茫、委屈、愤怒的情绪，会让人方寸大乱。

打败小三，不是用“打”，而是要用不动声色、春风化雨的智慧，要用自己的爱和魅力。这是战胜小三的策略，很多女人都懂得这个道理，就是做不到，为什么？因为沉不住气！

“知道”而“做不到”的原因是什么呢？这就涉及情绪管理问题。

一些人往往理性上知道如何做才能达到自己想要的目标，但遇到事情的时候，往往会产生强烈的情绪，被情绪驱使着，眼睁睁地看着自己把事情做成不希望的结果。根本问题还是缺少管理负面情绪的能力。

这样的人管理不了自己的情绪，在婚姻中可能遇到的不只是在遭遇小三时难以挽救婚姻。很多人离婚的起因只是很小的问题，常常是小事引发积压的负面情绪强烈爆发。教育孩子的理念不同，家务分工上的分歧，个人生活习惯上的差异等问题，都有可能引发婚姻危机并一发而不可收。不会管理情绪的人，有时候的确可以称赞他们的“真性情”，他们的确是敢爱敢恨。但更多的时候，他们容易让自己受伤。不会管理情绪的人难以真正地爱别人，他们心中有爱，却因需要发泄情绪而常常伤害他人，经常为了一些琐事而大吵大闹，甚至歇斯底里，导致对方承受不了而选择离开。

缺乏情绪管理的能力不利于经营婚姻。人们要不断地提升自己情绪管理的能力，才能享受幸福美满的婚姻。

压抑情绪是指有了情绪后把它强压在心里，暂时不去表达，也不去释放，至少不让它完全表露和释放。这样积累久了，人的内心会更加难受，结果可能导致身体生病，或长期的心情郁闷，伤害自己；或者当坏情绪积累到一定程度时无法控制而在某个事件上爆发，伤害彼此。

管理情绪不是要让情绪——尤其是负面情绪，表面上看不出来，也不是将情绪彻底压抑和封闭起来，而是通过一系列心理学的方法训练自己，使自己少起情绪，甚至做到多数时候根本就不起情绪。善于管理情绪的人，内心经常处于一种平静的状态，整个人更加平和，这样能更好地与人相处，也更容易获得幸福。正如2012年获得诺贝尔文学奖的莫言所说：幸福是什么都不用想，没有压力。当你总是惦记什么而心绪不宁的时候，你已经在承受压力了，无论这压力来自功名还是困难与危险。

我们竟然没有好好爱自己

每个人都曾遭遇拒绝，遭遇失败，遭遇人生中的各种不愉快，都会在失败的时候怀疑自己是不是不够好，都会觉得世界上是不是没有人爱自己……不！ 你要相信，你是最好的自己。 每当遇到阴雨天，就努力做自己的小太阳。 正能量的青春，不畏惧的未来，你也可以拥有。

很多人容易被外界牵动情绪，会在听到某首歌、看到电影里的某个情节时瞬间崩溃。 爱里的不甘心和生活中的自卑会偷偷在心里抓挠，它们在提醒自己，所谓“我很好”不过是佯装借口，而时间更是对记忆最浪漫的虚掷。

如果不知道能成为怎样的自己，那现在就先做你能做好的事。 我们都把焦躁的情绪放一放，先往幸福的方向去吧。

当他不喜欢你，你故意漂亮地出现在他身边是没用的，你送他的糖是不甜的，你隔三岔五发的“你在干什么”“在哪儿呢”在他眼里跟售楼短信的性质是一样的，你跟他斗嘴做相同的事他会觉得是他光芒万丈而让你自愿靠近他的，你在自我状态里更新的小心思他是看不懂的，你哭得死去活来他也是不痛不痒的。他是你的生活背景，而你是他的甲乙丙丁。

你成为今天的你，一定是因为一些事的发生，它们或大或小，但必定在你的记忆中留下了烙印。尔后所发生的许多事，或悲切，或盛大，或悄然而至，都能在这些烙印里找到最初的源头。

喜欢一个不喜欢你的人，就意味着一场漫长的失恋，它不能靠转移注意力或者看一些喜剧片、冷笑话来排解心伤。这本是一道带有不甘心的算术题，除了靠时间运算，在那堆加减乘除里，根本找不到简便算法。

我们都期待喜欢的人给予回应，与其把时间消磨在一个听不见你声音的人身上，不如把那些蜜语甜言说给懂的人听。

你为未来对象设下许多标准，但最后与你牵手的往往是标准之外的那个人。遇见他时，那些长相、体重，以及是不是骑白马、是不是才高八斗都不重要了。因为，他不是你喜欢的那种人，却是你喜欢的那个人。

爱是条长路，不论途中多少人并肩多少人离开，都始终要走向终点。失恋给你的不是一场灾难，而是一个中途停下的时间，让你好好思考到底该如何走完它。我们拥抱和推搡，我们亲吻和冷眼，我们同时拥有一个世界和失去一个世界。他日相逢，用沉默还给沉默，然后再缱绻不尽的爱里，勇敢生活。总有一个人，愿意陪你走到世界尽头。

一段理智的爱情，是两个人的时候有彼此，一个人的时候有自己。年轻的我们，不可能有饱和的时间让爱来消遣，两个人腻在一起终究没办法给未来生活埋单。当他不在你身边的时候，你可以更努力地工作，多看书，听歌种花，悉心照料属于自己的这片森林，好在下一次相遇的时候，会发现彼此都变得越来越好，直到两个人在别人眼里看来都是发着光的。那这段爱情，就是最好的爱情。

理解
男人的沉默

通过男人们在交际场中的表现就可看出他的个人特色，特别是偶有女士在场，就更明显。

雄辩滔滔、笑话不断者，往往是气氛的制造者。此时，那一边沉默的男人就格外引人注目了。通常女人较喜欢冷峻、沉默的男人。

男人话太多，总让人认为分量不够。可一句话不说，在社交场合又怎么能产生让人喜欢的魅力呢？

沉默是有条件的。该说则说，不该说则止，就是要掌握好度。沉默掌握得好，男人的魅力倍增，让别人觉得“深不见底”“深不可测”，于是更加具有吸引力。

可一味沉默下去，半天不见开一次金口，会让人以为行为怪癖，敬而远之，从而失去了和人交往的乐趣。不在人群中，你纵然有千般身手也只不过是一味自我享受罢了。在公众场合，要的就是身处其中又卓尔不凡。

沉默有时可成为一种武器，能征服人也能杀伤人。

因为人都有欲问其详的本能，见了沉默而面目尚可的男人，而且他不时有妙语出击，皆点到为止，且众人皆笑独他不笑，女人就分外着意于这种“杀手”。冷漠成了超然世外，少语成了心中有数，幽默因其惜言如金而倍显风趣，吸引力就比一般多话而轻松的男士来得多。

尽管场面上人们希望有人带来轻松，而实际上得利益者往往是那些轻易不笑的少言者，他们因适时的说话与长久地倾听，成为人们关注并琢磨的目标。

一旦男人因为沉默少言而成为女人心中的“惦记”，估计故事就要发生了。

女人因为这份沉默的魅力而踏入情网，两个人直到结了婚，还颇具神秘的吸引力。

准备嫁一个沉默中不乏幽默的男人的女人可得准备好，因为他并不能让你看透，你才一而再再而三地“欲问其详”，到最终才发现这是男人的聪明之处。

好的男人和女人一样是迷宫，让你走不出他的心路，百转千回又有无限风光。重要的是，交往之前要准确判断。

PART 04

在难过的日子里，让自己笑出声来

美好的日子带来经历，阴暗的日子带来阅历

经济不景气，大学生刚毕业就待业；裁员、下岗、减薪……这些词汇每天都充斥在工薪阶层的耳旁，扰得人们寝食难安；消费水平提高、物价上涨、孩子上学问题、户口问题、买不起房子买不起车、租个房子还要整天面对苛刻的房东……面对如此尴尬的处境，人们不禁感叹：“这日子真的是没法过了。”

艰难的日子虽然让人焦头烂额，可是我们却没有办法选择别的生活。既然改变不了，那么我们不如冷静地接受，认真地过好每一天，这样也许就会有很多意外的收获，生活也不会再让我们觉得痛苦了。

众所周知，王宝强是个在少林寺里拳来脚往生活了六年的孩子，因为克制不住内心梦想之火的燃烧，决定走出少林“闯荡江湖”。他从少林寺伙房师傅的口中得知很多师兄弟都去了北京做武打替身，可以拍电影，还可以和很多大明星接触……被外面五彩缤纷的生活所吸引，也被心中的梦想所

牵引，于是王宝强来到北京，开始了所谓的北漂生活。

实际上，我们可以想象得到，像王宝强这样没有什么学历和文凭的人，在北漂中注定是不能气定神闲的。他曾经自己回忆：“那个时候住排房，屋子很小，夏天非常拥挤，五六个师兄弟挤在一个炕上。不过房租很便宜，一个月 100 块，每个人每月也就 20 块钱的租金。”可是，就算你空有一身好武功，也要有戏演才能维持生活。而实际上，只凭当替身的那点儿拳脚费，几乎无法维持生活。于是，那个时候的王宝强几乎是“替身和民工”并存。

生活的艰难并没有动摇王宝强的信念，不管生活多难，他都咬紧牙关坚持着。接下来的两年里，他忽然和家里失去了联系。有一次访谈中，王宝强的哥哥说：“他到了北京忽然和家里失去了联系，信也没有，电话也没有，差不多将近两年的时间，我妈妈想他都快得病了。他忽然有一天打电话回来，说自己得了大奖，开始我们都还不信呢……”

王宝强的确曾经和家里失去联系，他说：“那个时候没有钱，没钱打电话。”“而且也不想打，没混出来个人样，觉得没法跟家里交代，没脸和家里人说。”就在那样孤独、艰难的岁月里，王宝强一面做武替，一面做民工，才勉强维持了自己的生活。有时候武替一天有几十块钱，有时候就只有一顿盒饭，可是即便这样，王宝强也觉得挺好的，来了北京，能吃饱，还能长见识。

很多师兄都劝他：“宝强，咱回去吧。你说咱们武功也一般，长得也不好，还没什么文化，哪有导演愿意要咱们这样的呀。不是每个人都有李连杰那样的好运气。”可是，倔犟的王宝强就是不肯认输，抱定了“再难也要坚持下去”的决心，坚决要留在北京打拼。记得蒲松龄曾经写过这样的落第自勉联：“有志者，事竟成，破釜沉舟，百二秦关终属楚；苦心人，天不负，卧薪尝胆，三千越甲可吞吴。”不知道是不是因为他“愚公移山”的坚持所至，好运终于飘然降临了。

李扬导演相中了他，电影《盲井》中的出色表演让他一举成名，并荣获了当年金马奖最佳新人奖。随后，冯小刚导演找到了他，他和中国最优秀的几个一线大明星、众多影帝影后加盟《天下无贼》。那个憨厚的傻根让人们一下子记住了他的名字，王宝强的星途从此一帆风顺。

很多人认为王宝强之所以能越来越好，是因为他太幸运了。可是王宝强却说：我并不是幸运的一个，能够有今天的成绩，是因为我一直没有放弃，尽管日子很难过，但是我一直在认真过好每一天。

生活中，我们每个人都会遇到各种各样的磨难和考验，只有认真过日子的人，才能在最后的关头突破自己，创造生活的奇迹。其实，生活中给予我们每个人的机会都是相同的，越是艰难的岁月，就越能提供给我们进步的空间。所以，不要总是抱怨日子不好过，只要坚持，认真地过好每一天，我们就能抓住希望，取得成功。

情绪低落时
不妨假装快乐

很多人都有这样的体会：当我们在做一些有兴趣也很令人兴奋的事情时，很少会感到疲劳。因此，克服疲劳和烦闷的一个重要方法就是假装自己很快乐。如果你假装对工作有兴趣，一点点假装就可以使你的兴趣成真，也可以减少你的疲劳、紧张和忧虑。

有一天晚上，艾丽丝回到家里，一副疲倦不堪的样子。她的确感到非常疲劳，头痛，背也痛，疲倦得不想吃饭就要上床睡觉。母亲再三地求她，她才坐在饭桌上。电话铃响了，是男朋友打来的，请她出去跳舞，她的眼睛亮了起来，精神也来了，她冲上楼，穿上那件天蓝色的洋装，一直跳舞到凌晨3点钟。最后等她回到家里的时候，却一点儿也不疲倦，事实上还兴奋得睡不着觉呢！

在8个小时以前，艾丽丝的表情和动作看起来筋疲力尽，她是否真的那么疲劳呢？其实，她之所以觉得疲劳是因为觉得工作使她很烦，她甚至对生活都觉得很烦。

世界上不知道有多少像艾丽丝这样的人，你也许就是其中之一。

心理因素的影响，通常比肉体劳动更容易让人觉得疲劳。约瑟夫·巴马克博士曾在《心理学学报》上有一篇论文，谈到他的一些实验，证明了烦闷会产生疲劳。巴马克博士让一大群学生做了一连串实验，他知道这些实验都是他们没有什么兴趣的。结果呢？所有的学生都觉得很疲倦、打瞌睡、头痛、眼睛疲劳、很容易发脾气，甚至还有几个人觉得胃很不舒服。所有这些是否都是“想象来的”呢？

不是的，这些学生做过新陈代谢的实验。实验的结果发现，一个人感觉烦闷的时候，他身体的血压和氧化作用实际上会减低。而一旦这个人觉得他的工作有趣的时候，整个新陈代谢作用就会立刻加速。

心理学家布勒认为，造成一个人疲劳感的主要原因是心理上的烦恼。

加拿大明尼那不列斯农工储蓄银行的总裁金曼先生对此深有体会。1943 年 7 月，加拿大政府要求阿尔卑斯登山俱乐部协助威尔斯军团做登山训练，金曼先生就是被选来训练这些士兵的教练之一。他和其他的教练——那些人从 42 岁到 59 岁不等——带着那些年轻的士兵，长途跋涉过很多冰河和雪地，还用绳索和一些很小的登山设备爬上 40 英尺高的悬崖。他们在加拿大的小月河山谷里爬上百米高峰、副总统峰和很多其他没有名字的山峰，经过 15 个小时的登山活动之后，那些非常健壮的年轻人都完全筋疲力尽了。

他们感到疲劳，是否因为他们在军事训练时肌肉没有训练得很结实呢？ 任何一个接受过严格军事训练的人对这种荒谬的问题都一定会嗤之以鼻。 不是的，他们之所以会这样筋疲力尽，是因为他们对登山这项运动觉得很烦。 他们中很多人疲倦得没等到吃晚饭就睡着了。 可是那些教练们——那些年龄比士兵要大两三倍的人是否疲倦呢？ 不错，他们没有筋疲力尽。 那些教练们吃过晚饭后，还坐在那里聊了几个钟头，谈他们这一天的事情。 他们之所以不会疲倦到筋疲力尽的地步，是因为他们对这件事情感兴趣。

耶鲁大学的杜拉克博士在主持一些有关疲劳的实验时，用那些年轻人经常保持感兴趣的方法，使他们维持清醒状态差不多达一星期之久。 在经过很多次调查之后，杜拉克博士表示“工作效能减低的唯一真正原因就是烦闷”。

因此，经常保持内心愉悦是抵抗疲劳和忧虑的最佳良方。 在这里，请记住布勒博士的话：“保持轻松的心态。 我们的疲劳通常不是由于工作，而是由于忧虑、紧张和不快。” 如果你此刻不快乐，会导致身体更加疲劳，情绪也就更加低落，因此，此时不妨假装一下自己是快乐的，当你的心理产生快乐的想法时，身体也会跟着调整到快乐时的状态，从而形成良性的循环，不信你试一试。

冬天里会有绿意，绝境中也会有生机

事情的发展往往具有两面性，犹如每一枚硬币总有正反面一样，失败的背后可能是成功，危机的背后也会有转机。

1974 年，第一次石油危机引发经济衰退时，世界运输业普遍不景气，但当时美国的特德·阿里森家族却收购了一艘邮轮，成立嘉年华邮轮公司，后来这家公司成为世界上最大的超级豪华邮轮公司。 世界最大的钢铁集团米塔尔公司，在 20 世纪 90 年代末世界钢铁行业不景气的时候，进行了首次大规模兼并，然后迅速扩张起来。 所以说，危机中有商机，挑战中有机遇，艰难的经济发展阶段对企业来说是充满机会的，对企业如此，对个人、民族、国家也是如此。

2008 年经济危机爆发后，美国很多商业机构和场所顿时萧条，但酒吧的生意却悄悄地红火起来。 原来，精明的酒商们发现美国人开始越来越喜欢喝战前禁酒令时期以及大萧条时期的酒品，比如由白兰地、橘味酒和柠檬汁调制成的赛德卡鸡尾酒。 酒商们迅速嗅出了新商机，推出了一款改进的老牌鸡尾酒。美国一个酒业资深人士指出，人们在困难时期，往往会从熟悉的东西那里寻求安慰，老式鸡尾酒自然而然会走俏。这种酒品，不仅让酒商们大赚了一笔，而且还能使疲于应对经济危机的美国人民得到慰藉。

“危中有机，化危为机。”一些中外专家认为，如果危机处置得当，金融风暴也有可能成为个人、企业或国家迅速发展的机遇。所以，冬天里会有绿意，绝境里也会有生机。

危机之下，谁都不希望面临绝境，但绝境意外来临时，我们挡也挡不住，与其怨天尤人，还不如奋力一搏，说不定还会创造一些奇迹。

有人说：“瀑布之所以能在绝处创造奇观，是因为它有绝处求生的勇气和智慧。”其实我们每个人都像瀑布一样，在平静的溪谷中流淌时波澜不惊，看不出蕴含着多大的力量，往往当我们身处绝境时，才能将这种力量开发出来。

下面是一个在绝境里求生存的真实故事：

第二次世界大战期间，有位苏联士兵驾驶一辆重型坦克，非常勇猛，一马当先地冲入了德军的心腹重地。这一下虽然把敌军打得抱头鼠窜，但他自己也渐渐脱离了大部队。

就在这时，突然轰隆隆一声，他的坦克陷入了德军阵地中的一条防坦克深沟之中，顿时熄了火，动弹不得。

这时，德军纷纷围了上来，大喊着：“俄国佬，投降吧！”

刚刚还在战场上咆哮的重型坦克，一下子变成了敌人的瓮中之物。

苏联士兵宁死也不肯投降，但是现实一点儿也不容乐观，他正处于束手待毙的绝境中。

突然，苏军的坦克里传出了“砰砰砰”的几声枪响，接着就是死一般的沉寂。看来苏联士兵在坦克中自杀了。

德军很高兴，就去弄了辆坦克来拉苏军的坦克，想把它拖回自己的堡垒。可是德军这辆坦克吨位太轻，拉不动苏军的庞然大物，于是德军又弄了一辆坦克来拉。

两辆德军坦克拉着苏军坦克出了壕沟。突然，苏军的坦克发动起来，它没有被德军坦克拉走，反而拉走了德军的坦克。

德军惊慌失措，纷纷开枪射向苏军坦克，但子弹打在钢板上，只打出一个个浅浅的坑洼，奈何它不得。那两辆被拖走的德军坦克，因为目标近在咫尺，无法控制火力，只好像被驯服的羔羊，乖乖地被拖到苏军阵地。

原来，苏联士兵并没有自杀，而是在那种绝境中，被逼得想出了一个绝妙的办法。他以静制动，后发制人，让德军坦克将他的坦克拖出深沟，然后凭着自身强劲的马力，反而俘虏了两辆德军坦克。

其实，每个人皆是如此，虽然我们的生活并不会时时面临枪林弹雨，但总有身处绝境的时候，每当此时，我们往往会产生爆发力，而正是这种爆发力将我们的力量激发出来了。所以，面临绝境的时候，不要灰心、气馁，更不要坐以待毙，勇往直前，无所畏惧，你我都可以“杀出一条血路”。

笑看天下几多愁

人生欢喜多少事，笑看天下几多愁。

我们从小就在做游戏，游戏的本身，就是在不断战胜挫折与失败中获取一种刺激与欢乐，假如没有挫折与失败，再好的游戏也会索然无味。人们玩游戏时的心态，是寻找娱乐，是带着挑战的心情去面对游戏中的困难与挫折，你面对强大的对手，不断地损伤受挫，但越是如此，你越发兴头十足。试想，倘若人们在生活中也有这么一种积极向上的游戏心态，那么失败与挫折也就不会显得那样沉重和压抑了。既然如此，我们为何不能将挫折变成一种游戏呢？那样便会让痛苦沮丧的心态超然快活起来。二者其实并无差别，只是人们在游戏中身心放松，而在生活中过于紧张。

每个人的路都不一样，但命运对我们都是公平的，有所得必有所失，有痛苦也有快乐，就看你能不能咬定青山不放松，心往好处想。西方哲学家蓝姆·达斯讲过这样一个故事：

一个病入膏肓、仅剩数周生命的妇人，整天思考死亡的恐怖，心情坏到了极点。蓝姆·达斯去安慰她："你是不是可以不花那么多时间去想死，而把这些时间用来考虑如何快乐地度过剩下的时间呢？"

他刚对妇人说时，妇人显得十分恼火，但当她看出蓝姆·达斯眼中的真诚时，便慢慢地领悟到他话中的诚意。"说得对，我一直都在想着怎么死，完全忘了该怎么活了。"她略显高兴地说。

一个星期之后，那个妇人还是去世了，她在死前充满感激地对蓝姆·达斯说："这一个星期，我活得比前一阵子幸福多了。"

"苦乐无二境，迷悟非两心。"妇人学会了心往好处想，所以在离开人世前仍能感到一丝幸福，快乐地合上双眼。如果她仍像以前一样，一味地想死，那就只能痛苦地离开人世。

看看下面童真无忌的画面，不知你想到了什么。

在一个春光明媚的日子，在阳光普照的公园里，许多小孩正在快乐地游戏，其中一个小女孩不知绊到了什么东西，突然摔倒了，开始哭泣。这时，旁边有一个小男孩立即跑过来，别人都以为这个小男孩会伸手把摔倒的小女孩拉起来或安慰鼓励她站起来。但出乎意料的是，这个小男孩竟在哭泣的小女孩身边也故意摔了一跤，同时一边看着小女孩一边笑个不停。泪流满面的小女孩看到这幅情景，觉得十分可笑，于是破涕为笑，俩人滚在一起哈哈大笑。

将生活中的挫折和困难视为"游戏"，不是游戏人生，而是以积极的心态面对现实，去战胜挫折和困难。笑看忧愁，笑看人生，如此而已！

世上最美的，
莫过于从泪水中挣脱出来的微笑

以欢乐面对人生，以宽容对待别人，以笑声战胜挫折，以信心面对困难，以欣赏的目光看待每一件事物。

1954 年，当美国著名作家海明威上台接受诺贝尔文学奖时，他却谦虚地说："得此奖项的人应该是那位美丽的丹麦女作家——嘉伦·碧森。"

海明威所说的这位丹麦女作家，就是曾经凭电影《走出非洲》获得好莱坞奥斯卡金像奖的女主人公。《走出非洲》这部电影的结尾，打上了一行小小的英文字：嘉伦·碧森返回丹麦后成了一位女作家。

嘉伦·碧森（1885—1962）从非洲返回丹麦后，不但成为一位享誉欧美文坛的女作家，而且在她去世 30 多年后，和比她早出世 80 年的安徒生并列为丹麦的"文学国宝"。

嘉伦·碧森离开非洲的那一年，可以说是一个什么都没有的女人，有的只是一连串的厄运：她苦心经营了 18 年的咖啡园因长年亏本被拍卖了；她深爱的英国情人因飞机失事而

毙命；她的婚姻早已破裂，前夫再婚；最后，连健康也被剥夺了，多年前从丈夫那里感染到的梅毒发作，医生告诉她，病情已经到了药物不能控制的阶段。

回到丹麦时，她身无分文，而且除了少女时代在艺术学院学过画画外，无一技之长。她只好回到母亲那里，依赖母亲，她的心情简直陷落到绝望的谷底。

在痛苦与低落的状况下，她鼓足了勇气，开始在老家伏案笔耕。一个黑暗的冬天过去了，她的第一本作品终于脱稿，是七篇诡异小说。

她的天分并没有立刻受到丹麦文学界的欣赏，第一本作品吃了闭门羹。有的人甚至认为，她故事中所描写的鬼魂简直是颓废至极。

嘉伦·碧森在丹麦找不到出版商，便亲自把作品带到英国，结果又碰了一鼻子灰。英国出版商很礼貌地回绝她：“夫人，我们英国现在有那么多的优秀作家，为何要出版你的作品呢？”

嘉伦·碧森颓丧地回到丹麦。她的哥哥蓦然想起，曾经在一次旅途中认识了一位在当时颇有名气的美国女作家，便毅然把妹妹的作品寄给那位美国女作家。事有凑巧，那位女作家的邻居正好是个出版商，出版商读完了嘉伦·碧森的作品后，大为赞赏地说，这么好的作品不出版实在是太可惜了。她愿意为文学冒险。

1943年，嘉伦·碧森的第一本作品《七个歌德式的故事》终于在纽约出版，并一鸣惊人，不但好评如潮，还被“这月书俱乐部”选为该月之书。当消息传到丹麦时，丹麦记者才四处打听：这位在美国名噪一时的丹麦作家到底是谁？

嘉伦·碧森在她行将50岁那年，从绝望的黑暗深渊，一跃而成为文学天际一颗闪亮的明星。此后，嘉伦·碧森的每一部新作都成为名著，原文都是用英文书写，先在纽约出版，然后再重渡北大西洋回到丹麦，以丹麦文出版。嘉伦·碧森在成名后说：在命运最低潮的时刻，我和魔鬼做了个交易。她效仿歌德笔下的浮士德，把灵魂交给了魔鬼，作为承诺，魔鬼让她把一生的经历都变成了故事。

嘉伦·碧森把自己一生的各种经历先经过一番过滤、浓缩，最后把精华部分放进故事里。她写的故事大都发生在一百多年前，因为她认为，唯有这样才能得到最大的文学创作自由。熟悉嘉伦·碧森的读者，不难在其作品中看到她的影子。

嘉伦·碧森写作初期以Isak Dinesen为笔名，成名后才用本名。Isak，犹太文是“大笑者”的意思。她之所以采用这个笔名，也许是在暗示世人——以笑声面对残酷的命运。

嘉伦·碧森成为北大西洋两岸文学界的宠儿后，丹麦的年轻作家皆拜倒在她的“文学裙”下，把她当女王般看待。74岁那年，她第一次拜访纽约，纽约文艺界知名人士，包括赛珍珠和阿瑟·米勒皆慕名而来。

嘉伦·碧森为她的文学也付出了很大的代价，梅毒给她带来极大的肉体痛苦，当梅毒侵入她的脊柱时，她常痛得在地上打滚。晚年时，她变得极其消瘦、衰弱，坐、立、行皆痛苦不堪。

嘉伦·碧森死时77岁，死亡证书上写的死因是：消瘦。

正如她晚年所说：“当我的肉体变得轻如鸿毛时，命运可以把我当作最轻微的东西抛弃掉。”

有的人喜欢以笑声面对困苦，有的人喜欢以埋怨面对不幸。既然笑也要过生活，哭也要过生活，为什么不能让自己过得快乐一点儿呢？

所以，无论遭遇多大的痛苦和不幸，都要面带微笑，勇敢面对，让自己活得快乐一点，活得精彩一点！

用你的笑容
去改变这个世界

只有具备了淡然如云、微笑如花的人生态度，困境和不幸才能被锤炼成通向平安的阶梯。

人在什么时候最有魅力？ 就是在微笑的时候。 一个积极向上的人，一个热爱生活的人，微笑是他显露最多的表情。

达·芬奇用蒙娜丽莎的微笑征服了整个世界，可见微笑是多么神奇。 微笑的魅力无所不在，它可以美化我们的心灵，也可以让快乐无处不在，是它让这个世界充满友善与朝气。 一个真心的微笑，不管是从眼睛看到的或从声音里听到的，都是一个很好的开端。

在人际交往中，我们需要微笑。 微笑是一种令人愉快的表情，它表达的是一种热情而积极的处世态度。微笑甚至可以创造财富，引领你走向成功。

几年前，底特律的哥堡大厅举行了一次巨大的汽艇展览会，人们蜂拥而至。 在展览会上人们可以选购各种船只，从小帆船到豪华的游艇都可以买到。

在汽艇展览会期间，一家汽艇厂有一宗巨大的生意跑掉了，而另一家汽艇厂却用微笑把顾客挽留了下来。

事情是这样的：一位富翁，他来到一艘展览的大船旁对站在面前的推销员说："我想买艘汽船。"这对推销员来说可是求之不得的好事。那位推销员很周到地接待了富翁，只是他脸上冷冰冰的，没有一丝笑容。

富翁看着这位推销员那没有笑容的脸，觉得里面似乎藏有什么心机，于是走开了。

他继续参观，到了下一艘陈列的船前，这次他受到了一位年轻推销员的热情招待。这位推销员脸上始终挂满了笑容，那微笑像太阳一样灿烂，使这位富翁有宾至如归的感觉，所以，他又一次说："我想买艘汽船。"

"没问题。"这位推销员脸上带着微笑答道，"我会为您介绍我们的产品。"

后来，这位富翁果然交了定金，并且对这位推销员说："我喜欢人们表现出一种他们非常喜欢我的样子，现在你已经用微笑表现出来了。在这次展览会上，你是唯一让我感到我是受欢迎的人。"

第二天，这位富翁带着一张保付支票回来，购下了价值2000万美元的汽船。

不难看出，微笑就是无声的行动，一个人温和、亲切、洋溢着笑意，远比他穿着一套华丽、高档的衣服更引人注意，也更受人欢迎。因为微笑是一种宽容、一种接纳，它缩短了人与人之间的距离，使彼此之间心心相通。喜欢微笑着面对他人的人，往往更容易走入对方的天地。所以说，微笑是成功者的先锋。

现实生活中，许多人都意识到了服饰仪容对自己社交、办事的重要性，所以，临出门前，我们总是要对着镜子特意整理一番，看头发是否凌乱、领带是否平整、化妆是否恰到好处，唯恐因衣着的粗俗和妆饰的不雅而被人轻视，从而达不到办事目的。然而，我们也不能忽略另一种魅力，那就是微笑。其实，对于社交、办事来说，整理表情有时比整理服饰、妆面更重要。

说到这里，我们就不能不说到以微笑服务冠于全球的希尔顿旅馆。

希尔顿于 1887 年生于美国新墨西哥州。父亲去世的时候，只给年轻的希尔顿留下 2000 美元的遗产。加上自己的 3000 美元，希尔顿只身去得克萨斯州买下了第一家旅馆。当旅馆资产增加到 5100 万美元的时候，他欣喜而自豪地告诉了母亲。但是，母亲却淡然地说："依我看，你和从前根本没有什么两样，不同的只是你已把领带弄脏了一些而已。事实上，你必须把握比 5100 万美元更值钱的东西。除了对顾客诚实之外，还要想办法使每一个住进希尔顿旅馆的人住过了还想再来住，你要想一种简单、容易、不花本钱而行之可久的办法去吸引顾客。这样你的旅馆才有前途。"

希尔顿听后，苦苦思量母亲严肃的忠告：究竟什么"法宝"才具备母亲所指示的"一要简单，二要容易做，三要不花本钱，四要行之可久"呢？希尔顿终于想出来了：这个法宝就是微笑。只有微笑具备这四大条件，也只有微笑能发挥如此大的影响！于是希尔顿根据这一法宝订出了他经营旅馆的三大信条：辛勤、信心、眼光。他要求员工照此信条实践。他也要求员工，无论如何辛劳都必须对旅客保持微笑。他确信：微笑将有助于希尔顿旅馆更好地发展。

事实上，希尔顿旅馆能从美国20世纪30年代的经济萧条中幸存下来，且进入繁荣时代，便证明了希尔顿判断的正确性。希尔顿在接下来的经营中也一直强调着他微笑服务的这一法宝。

每当希尔顿为旅馆充实一批现代化设备时，他就要来到旅馆，召集全体员工开会。“现在我们的旅馆已新添了第一流设备，你们觉得还必须配合一些什么第一流的东西使客人更喜欢它呢？”员工回答之后，希尔顿会微笑地摇着头说：“请你们想一想，如果旅馆里只有第一流的设备而没有第一流服务员的微笑，那些旅客会认为我们供应了他们全部最喜欢的东西吗？缺少服务员的微笑，就好比花园里失去了太阳和春风。如果我是顾客，我宁愿住进那虽然只有残旧地毯，却处处见到微笑的旅馆，而不愿走进只有一流设备而不见微笑的地方……”

后来，希尔顿的资产已从5000美元发展到数十亿美元。希尔顿旅馆已经吞并了曾经号称“旅馆大王”的纽约华尔道夫的奥斯托利亚旅馆，买下了号称“旅馆之后”的纽约普拉萨旅馆。与此同时，他的名言“你今天对客人微笑了没有”也在这些旅馆深处震荡开来。

微笑是希尔顿旅馆最宝贵的无形资产，也是它制胜的魅力所在。希尔顿的成功，就是从微笑服务开始的。不难看出，在生活中只有“微笑”的量是不够的，要努力提高“微笑”的质，创造出属于我们现代人的高品位的“微笑服务”与“微笑文化”。

在真诚的微笑中，人们可以更多地感悟到生活中的真、善、美，也可以更深刻地体会到微笑者的人格魅力。人们都期待着更多的微笑，那么，我们怎样才能保持住自己的微笑呢？

第一，让那些能够给你带来轻松愉快的事情围绕着你。

第二，你要相信自己的微笑是世界上最美的微笑。

第三，尽量消除或减少一些负面消息对你的影响。

第四，在办公室的显眼位置上，摆放假日里令你难忘的照片。因为照片可以使你从日常紧张的工作中得到片刻的休息。

第五，每天，在你的周围去努力寻找那些幽默和欢乐的事情。

第六，最为重要的一点就是要记住，微笑不是仅仅为了别人，更是为了自己。

走遍世界，微笑是通用的护照；走遍全球，阳光雨露般的微笑是你畅行无阻的通行证。一旦你学会了阳光灿烂般的微笑，就会发现，你的生活从此会变得更加轻松，而人们也喜欢享受你那阳光灿烂般的微笑。

你对生活笑，生活就不会对你哭

生活犹如一面明镜，你对它笑，它就不会对你哭。

在生活中，我们每一个人快乐与否，不是取决于财富的多少、美貌程度或是自己的地位如何等外在因素，而是取决于自己的心态这一内在因素。一个人无论他多有钱、多美貌或地位有多高，如果他对生活哭丧着脸，那么生活也不会给他好脸色。

苏菲拥有一切。她有一个完美的家庭，住豪华公寓，从来不用为钱发愁。而且，她年轻、聪慧、漂亮。路易是她的朋友，路易觉得和苏菲一起外出是一件乐事。在餐厅里，路易会看到邻桌的男士频频向她注目，邻桌的女士为她而相互窃窃私语。有她的陪伴，路易感觉很棒。她让路易由衷地认为做男人真好。

不过，当所有闲聊终止的时候，这样的一刻出现了：苏菲开始向路易讲述她悲惨的生活，她为减肥而跳的狐步舞，她为保持体形而做的努力，导致她得了厌食症。路易简直不敢相信自己的耳朵！这位美丽的女士真实地、深切地认为自己胖而且丑，不值得任何人去爱。路易对她说，她也许弄错了。事实上，这世界上一半的人为了能拥有她那样的容貌，她那样的好运气和生活，宁愿付出任何代价。不，不，苏菲悲哀地挥着手说，她以前也听过类似的话。她知道这话只是出于礼貌，只是一种于事无补的慰藉。而路易越是试图证实她是一位幸运的女孩，她越表示反对。苏菲对她生活的总结就是“糟透了”。

生活赐予我们的越多，我们就越觉得所有的一切都理所当然。然后，我们对生活的期望值也就越高。想象一下苏菲生而拥有一切，金钱、容貌、智慧……但就因为身材这一小问题使她对生活的看法大变。而她应当知道：生活并不完美，而且生活从来也不必完美！只要想一想生活是多么风云变幻，我们就应该知足了。许多人都听过“超人”克里斯托夫·瑞维斯的故事。他曾经又高又帅、健壮、知名、富有。可是，一次，他不慎从马上跌落下来，摔断了脖子。从此，他就高位截瘫了。现在，他已经离开了这个世界。不过，瑞维斯和苏菲的不同在于：他感谢上帝让他保留了一条生命，使他可以去做一些真正有意义的事——为残疾人事业而努力。而苏菲则是为她腹部增加或减少了几毫米厚的脂肪或喜或悲。两人之间的不同说到底还是自己的心态问题。

卡耐基曾讲过这样一个故事：

塞尔玛陪伴丈夫驻扎在一个沙漠的陆军基地里，丈夫奉命到沙漠去学习，她一人留在陆军的小铁皮房子里。天气热得受不了，即便在仙人掌的阴影下温度也高达华氏 125 度。

那儿没有人与她聊天，只有墨西哥人和印第安人，而他们不会说英语。塞尔玛太难过了，就写信给父母，说要丢开一切回家。而父亲的回信只有两行，但这两行文字却完全改变了她的生活：

两个人从牢中的铁窗望去，

一个看到泥土，一个却看到星星。

塞尔玛一再地读这封信，觉得大受启发。她决定要在沙漠中找到“星星”。

于是，塞尔玛开始和当地人交朋友，他们的反应热情而友善。塞尔玛对他们的纺织品、陶器表示感兴趣，他们就把最喜欢的、舍不得卖给观光游客的纺织品和陶器送给了她。塞尔玛研究那些引人入迷的仙人掌和各种沙漠植物，还学习有关土拨鼠的知识。她观看沙漠日落，甚至寻找到了海螺壳，要知道这些海螺壳是几万年前当这沙漠还是海洋时留下来的……最后，那原来难以忍受的环境变成了令塞尔玛兴奋、流连忘返的奇景。

那么，到底是什么使塞尔玛对生活的看法有了这么大的转变？

其实，沙漠没有改变，印第安人也没有改变，只是塞尔玛的心态改变了。一念之差，使她把原先认为不幸的遭遇变为一生中最有意义的冒险。她为发现的新世界兴奋不已，并为此写了一本书，并将书以“快乐的城堡”为名出版了。我们可以说，她终于看到了自己的“星星”。

生活是属于自己的，我们为何不对之一笑？要知道，生活从来都是真实的、诚恳的，所以，我们不妨用自己的笑脸来换回生活的笑脸。

世上没有绝对不幸的人，只有不肯快乐的心

一群年轻人到处寻找快乐，却遇到许多烦恼，于是他们向苏格拉底请教：“快乐到底在哪里？”

苏格拉底说：“你们还是先帮我造一条船吧！”这群年轻人开始不太理解，既然是来请教，苏格拉底的话又不好不听，或许造好了船就会得到苏格拉底正面的回答。

就这样，他们暂时把寻找快乐的事儿放到一边，找来造船的工具，用了七七四十九天，造出了一条独木船。

船下水的那天，他们把苏格拉底请上船，一边合力摇桨，一边高声唱歌。

这时，苏格拉底问他们：“孩子们，你们快乐吗？”年轻人齐声回答：“快乐极了！”

于是，苏格拉底告诉他们：“快乐是一种体验、一种感受，它存在于我们的生活和工作之中，不必刻意去寻找。同时，我们的快乐是由自己创造的，别人的赐予是对我们付出的回报。其实，快乐时时刻刻都伴随着我们，只是我们不曾

注意罢了。”

倘若把不如意的事情看成是自己构想的一篇小说，或是一场戏剧，自己就是那部作品中的一个主角，心情就会变好许多。一味地沉入不如意的忧愁中，只能使不如意变得更不如意。既然悲观于事无补，那我们何不用乐观的态度来对待人生呢?

用乐观的态度面对人生，可看到“青草池边处处花”“百鸟枝头唱春山”；用悲观的态度面对人生，举目皆是“黄梅时节家家雨”，低眉即听“风过芭蕉雨滴残”。譬如打开窗户看夜空，有的人看到的是星光璀璨，夜空清朗；有的人看到的是一片黑暗。一个心态正常的人可在茫茫的夜空中读出星光的灿烂，增强自己对生活的信心；一个心态不正常的人让黑暗吞没了自己，且越陷越深。

悲观使人生的路愈走愈窄，乐观使人生的路愈走愈宽，选择乐观的态度对待人生是一种智慧。悲观在寻常的日子里随处可以找到，而乐观则需要努力，需要智慧，才能使自己保持一种人生处处充满生机的心境。在诸多无奈的人生里，仰望夜空看到的是闪烁的星斗；俯视大地，大地是绿了又黄，黄了又绿的美景……这种乐观是坚忍不拔的毅力支撑起来的一种风景。

在迪河河畔，住着一个磨坊主，据说是英格兰最快活的人。这一带的人都喜欢谈论他，终于，烦恼的国王想见他一面。

“我要去找这个奇异的磨坊主谈谈，也许他能告诉我怎样才能快乐。”国王刚到磨坊，磨坊主就对他说：“我不羡慕任何人，因为我要多快乐就有多快乐。”

国王说："我十分羡慕你，我的朋友，只要能像你那样无忧无虑，我愿意和你换个位置。"

磨坊主笑了，对国王说："我肯定不和您调换位置，陛下。"

"是什么使你在这个满是灰尘的磨坊里如此快乐呢？而我，身为国王，却每天忧心忡忡、烦闷苦恼！"

磨坊主笑着说："我不知道你为什么忧郁，但是我能简单地告诉你我为什么快乐。我爱我的妻子和孩子，我爱我的朋友们，他们也爱我。我自食其力，不欠任何人的钱。我为什么不应该快乐呢？而且，这条迪河使我的水磨运转，水磨每天把谷物磨成面粉，养育我的妻子、孩子和我。"

"不要再说了。"国王说，"我羡慕你，你这顶落满粉尘的帽子比我这顶王冠更有价值。你的磨坊给你带来的快乐要比我的王国给我带来的快乐还多。如果人们都像你这样，这个世界该有多么美好！"

每个人都有这样一种体验：心情舒畅，喝一杯清茶也觉得神清气爽，非常愉快；有时山珍海味，但一怀愁绪，毫无快乐可言。所以，我们说，快乐绝不是某些人的专利，而是人所共有的一种心态，一种精神的体验。任何人只要脱离了每天为吃穿犯愁的困境，生活中就会有着无限乐趣和蓬勃生机。过得快乐与否，就看你是否善于发现人生的美好，是否有一颗快乐的心。

拥有一颗快乐的心，对任何人来说都非常重要。小孩子拥有一颗快乐的心，就能积极进取，天天向上，健康成长；年轻人拥有一颗快乐的心，就能克服困难，勇往直前，事业有成；老年人拥有一颗快乐的心，就能看淡人间烟火，健康长寿，颐养晚年。

一个人，只要拥有一颗快乐的心，在生活中就能克服困难，就能坦然面对逆境，就不会轻言失败，人生就会有许多快乐。

快乐的人，往往是充满希望的人。他无论遇到什么情况，脸上总是带着微笑，心平气和地接受人生的变故和挫折。这就是乐观的生活态度。乐观对人就像是太阳对植物一样重要，乐观就是人心中的太阳。

一群因地震被埋在废墟下的人，各人的心态决定了他们是否能在困境中顽强地生存下去。那些将困境视为绝境的人因为意志崩溃而导致身体能量系统不能有效地工作，身体各个机能逐渐丧失。在缺少水和食物的情况下，这将是把他们推向死亡的死神之手。而那些坚信光明终究到来的人，坚强的意志会帮助他们渡过难关。

这就是乐观给人们提供的力量，它大到足以支撑整个生命。雨果说：“比海洋更广阔的是天空，比天空更广阔的是心灵。”要使你的心灵保持宁静与和谐，不被一些琐事所笼罩，就要用智慧之泉来灌溉。

拥有一颗快乐的心关键是要有一个乐观豁达、积极向上的心态。面对困难，从容不迫，把困难视为机遇，把困难作为挑战，坚信困难是暂时的，并快乐地去积极应对；面对逆境，不灰心丧气，把逆境看作是自己人生中最重要的一段经历，把逆境作为磨炼自己意志的重要场所，坚信逆境是暂时的，并快乐地去应对一切；面对失败，不心灰意冷，把失败看作是暂时还没有成功，把失败作为自己人生的考验，并快乐地去奋力拼搏。

快乐不快乐，完全取决于自己

很久很久以前，人类还赤着双脚走路。

有一位国王到某个乡村巡视，路面的碎石头刺得他的脚又痛又麻。

于是，他下了一道命令，要将国内的所有道路都铺上一层牛皮。 他认为这样能让所有人走路时不再痛苦。

但即使杀尽国内所有的牛，也根本做不到这一点。

一个聪明的仆人向国王建议：“陛下啊！ 为什么您要杀那么多头牛，花那么多钱呢？ 您何不只用两小片牛皮包住脚呢？”

国王听了，茅塞顿开，于是立刻收回成命，改用这个建议。

据说，这就是皮鞋的由来。

尽管是一国之王，但想改变整个世界，很难，而改变自己的思维，则较为容易。 换个角度，人生就会海阔天空。

有两个旅游观光团到日本伊豆半岛旅游，路面很糟糕，到处坑坑洼洼。

其中一位导游连声抱歉，说路面简直像麻子一样。

而另一个导游却诗意盎然地对游客说：“各位，我们现在走的这条路，正是赫赫有名的伊豆迷人酒窝大道。”

游客们不由地发出善意会心的微笑。

虽是同样的情况，然而不同的意念就会产生不同的态度。思想是何等奇妙的事，如何去想，决定权在你。

很多事情就是这么简单，同样的问题，从不同的角度去看，就会有截然相反的效果。

同样，从不同的角度看人生，就会有不同的结果和心情。明白了这个道理，你的人生怎能不快乐？

在现实生活中，我们往往习惯于以自己既定的思维方式推出结论。其实，很多事情，换个角度，也许结果就会不同。只有敢于冲破传统行为的束缚，我们才可以创造新的生活，带来新的视野。

不小心将手提包丢了，损失了一个月的工资。不要埋怨自己，你应该心想，幸好没把买房子的钱放在提包里面。

你回到家，家里乱七八糟的，不应责怪家人。你可以一边收拾东西一边想，整天坐办公室，难得有这样锻炼身体的机会！家人看到收拾好的房屋后，是不是也对你赞赏有加，家庭也变得和美融洽了？

如果你换个角度去看生活，是不是生活也变得非常快乐了呢？

PART

05

不舍弃黑暗，就看不到阳光

聪明的人
懂得适时放手

我们都有过这样的经历：

亲戚送了一盒上等绿茶，舍不得喝，放了很久，却没想到保存不当，等拿出来喝时才发现受潮发霉了，只好万般不舍地扔掉。

朋友送了一件质地良好的风衣，却因为太喜爱而舍不得穿。等有一天愿意拿出来时，却发现自己的身体已由亭亭玉立变得臃肿，那件风衣竟然无法再穿上了。

朋友出差时送了一盒当地特产的糕点，舍不得吃，待下决心将它“消灭掉”时，却发现早已过了保质期。

……

同样的道理，在我们或长或短的一生中，很多东西也不能保存，而必须尽快享受。只有宽心的人，懂得适时松手的人，才能真正体会到生命的快乐。

下面这个小故事就说明了这个道理：

从前有个财主，他对自己地窖里珍藏的葡萄酒非常自豪——窖里保留着一坛只有他才知道的、某种特殊场合才能喝的陈酒。

州府的总督登门拜访。财主提醒自己："这坛酒不能仅仅为一个总督启封。"

地区主教来看他，他自忖道："不，不能开启那坛酒。他不懂这种酒的价值，酒香也飘不进他的鼻孔。"

王子来访，和他同进晚餐。但他想："区区一个王子喝这种酒过分奢侈了。"

甚至在他亲侄子结婚那天，他还对自己说："不行，接待这种客人，不能拿出这坛酒。"

一年又一年，财主死了。

下葬那天，那坛陈酒和其他酒一起被搬了出来，左邻右舍的邻居把酒通通喝光了。但谁也不知道这坛陈年老酒的久远历史。对他们来说，所有喝进肚子里的仅仅是酒而已。

在条件允许的情况下，我们应该尽量享受生活，没有必要像苦行僧似的，总是一味地苛待自己。懂得享受生活的人，比一般人更能感觉到生活的乐趣和人生的幸福。

想想你现在的追求，是否也是放弃了手中的一切，仅仅为了那坛普普通通的酒?

有的人喜欢贪图别人的财富，有的人明知道是自己的财富却选择了舍弃。贪图别人财富的人，必将在获得的同时付出更大的代价，而主动舍弃的人，却可能得到上苍加倍的馈赠。

保持一颗平常心，波澜不惊，生死不畏，于无声处听惊雷，超脱眼前得失，不受外在情感的纷扰，喜怒哀乐，收放自如，才能体会到“采菊东篱下，悠然见南山”的自在。

著名的钢琴大师鲁宾斯坦有一次送给朋友一盒上等雪茄，朋友表示要好好珍藏这一特别的礼物。“不，不要这样，你一定要享用它们，这种雪茄如人生一样，都是不能保存的，你要尽快享受它们。没有爱和不能享受人生，就没有快乐。”钢琴大师对朋友说。

钢琴大师的话寓含深奥的人生哲理，我们每个人都有必要读懂它，记住它，运用它。放手已有的东西，才能将新的东西握到手中。

今天的放弃，是为了明天的得到

生活就是这样，很多时候鱼和熊掌不可兼得。这就要求我们要懂得放弃，因为有“舍”才会有“得”，美国大财团洛克菲勒家族用实际行动给我们诠释了这一智慧。

第二次世界大战的硝烟刚刚散尽，以美、英、法为首的战胜国首脑们几经磋商，决定在美国纽约成立一个协调处理世界事务的组织——联合国。一切准备就绪后，大家才发现，这个全球至高无上、最权威的世界性组织，竟没有自己的立足之地。

买一块地皮，刚刚成立的联合国机构还身无分文。让世界各国筹资，牌子刚刚挂起，就要向世界各国搞经济摊派，负面影响太大。况且刚刚经历了战争的浩劫，各国政府都国库空虚，许多国家财政赤字居高不下，在寸土寸金的纽约筹资买下一块地皮，并不是一件容易的事情。联合国对此一筹莫展。

听到这一消息后，美国著名的家族财团洛克菲勒家族经商议，果断出资 870 万美元，在纽约买下一块地皮，将这块地皮无条件地赠予了这个刚刚挂牌的国际性组织——联合国。同时，洛克菲勒家族亦将毗邻的这块地皮全部买下。

对洛克菲勒家族的这一出人意料之举，美国许多大财团都吃惊不已。870 万美元，对于战后经济萎靡的美国和全世界，都是一笔不小的数目，而洛克菲勒家族却将它拱手赠出，并且什么条件也没有。这条消息传出后，美国许多财团主和地产商都纷纷嘲笑说“这简直是蠢人之举”，并纷纷断言“这样经营不要十年，著名的洛克菲勒家族财团，便会沦落为著名的洛克菲勒家族贫民集团”！

但出人意料的是，联合国大楼刚刚建成完工，毗邻地价便立刻飙升起来，相当于捐赠款数十倍、近百倍的巨额财富源源不断地涌进了洛克菲勒家族。这种结局，令那些曾经讥讽和嘲笑过洛克菲勒家族捐赠之举的财团和商人们目瞪口呆。

这是典型的“因舍而得”的例子。如果洛克菲勒家族没有做出“舍”的举动，勇于牺牲和放弃眼前的利益，就不可能有“得”的结果。放弃和得到永远是辩证统一的。然而，现实中许多人却执着于“得”，常常忘记了“舍”。要知道，什么都想得到的人，最终可能会为物所累，导致一无所获。

生活就是如此，如果你不可能什么都得到的时候，那就应该学会舍弃，生活有时候会迫使你交出权力，不得不放走机会和恩惠。然而，舍弃并不意味着失去，因为只有舍弃才会有另一种获得。

错过花朵，你也许将收获浪漫

生活中有一种痛苦叫错过。人生中一些极美、极珍贵的东西，常常与我们失之交臂，这时，我们总会因为错过美好而感到遗憾和痛苦。其实喜欢一样东西不一定非要得到它，俗话说："得不到的东西永远是最好的。"当你为一份美好而心醉时，远远地欣赏它或许是最明智的选择，错过它或许还会给你带来意想不到的收获。

美国哈佛大学要在中国招一名学生，这名学生的所有费用由美国政府全额提供。初试结束了，有 30 名学生成为候选人。

考试结束后的第 10 天是面试的日子。30 名学生及其家长云集锦江饭店等待面试。当主考官劳伦斯·金出现在饭店的大厅时，一下子被大家围了起来，他们用流利的英语向他问候，有的甚至还迫不及待地向他作自我介绍。这时，只有一名学生，由于起身晚了一步，没来得及围上去，等他想接近主考官时，主考官的周围已经水泄不通了，根本没有插空而人的可能。

于是他错过了接近主考官的大好机会，他觉得自己也许已经错过了机会，于是有些懊恼。正在这时，他看见一个异国女人有些落寞地站在大厅一角，目光茫然地望着窗外，他想：身在异国的她是不是遇到了什么麻烦，不知自己能不能帮上忙。于是他走过去，彬彬有礼地和她打招呼，然后向她做了自我介绍，最后他问道："夫人，您有什么需要我帮忙的吗？"接下来两个人聊得非常投机。

后来这名学生被劳伦斯·金选中了，在30名候选人中，他的成绩并不是最好的，而且面试之前他错过了跟主考官套近乎、加深自己在主考官心目中印象的最佳机会，但是他却"无心插柳柳成荫"。原来，那位异国女子正是劳伦斯·金的夫人。

这件事曾经引起很多人的震动：原来错过了美丽，收获的并不一定是遗憾，有时甚至可能是圆满。

许多心情，可能只有经历过之后才会懂得，如感情，痛过了之后才会懂得如何保护自己，傻过了之后才会懂得适时的坚持与放弃。在得到与失去的过程中，我们慢慢地认识自己，其实生活并不需要这些无谓的执着，没有什么真的不能割舍的，学会放弃，生活会更轻松！

因此，在你感觉到人生处于最困顿的时刻，也不要为错过而惋惜。失去的折磨会带给你意想不到的收获。花朵虽美，但毕竟有凋谢的一天，请不要再对花朵长叹了，因为可能在接下来的时间里，你将收获细雨绵绵的浪漫。

勇于选择，果断放弃

生活中，左右为难的情形会时常出现：比如面对两份同样具有诱惑力的工作，两个同样具有诱惑力的追求者。若过多地权衡，患得患失，到头来将两手空空，一无所得。我们不必为此感到悲伤，能抓住人生“一半”的美好已经很不容易。

两个朋友一同去参观动物园。动物园非常大，他们的时间有限，不可能看完所有动物。他们约定：不走回头路，每到一处路口，选择其中一个方向前进。

第一个路口出现在眼前时，路标上写着一侧通往狮子园，一侧通往老虎山。他们琢磨了一下，选择了狮子园，因为狮子是“草原之王”。又到一处路口，分别通向熊猫馆和孔雀馆，他们选择了熊猫馆，因为熊猫是“国宝”……

他们一边走，一边选择。每选择一次，就放弃一次，遗憾一次。

因为时间不等人，如不这样做他们的遗憾将会更多。只有迅速做出选择，才能减少遗憾，得到更多的收获。

面对选择和取舍时，必须要理性、睿智和远见卓识，不可鼠目寸光，不可急功近利，更不可本末倒置，因小失大。 选择不是一锤子买卖，不能因为一粒芝麻丢了西瓜；不能因为留恋一棵小树而失去整片森林。

很多时候，我们总是想选择这个，却害怕错过那个，于是拿起来又放下，到最后一刻还在犹豫，这个会有这样的缺点，那个会有那样的不足，所以总迟迟下不了决心，或者选择之后，又来回地更改，在这样患得患失间耽搁了不少时间，浪费了不少精力。 世界上没有一个十全十美的东西让你选择，每一样东西都会有它自身的缺点，所以，当你选择之后就大胆地往前走，而不是一步三回头。

而那些事业有成之士，总会在选择之后一直走下去。

鲁迅在拯救人的灵魂和人的身体之间选择，成为一代文豪；迈克尔·乔丹放弃了棒球运动员的梦想，成为世界篮坛上最耀眼的“飞人”球星；帕瓦罗蒂放弃了教师职业，成为名扬世界的歌坛巨星……

有些选项看似诱人，但如果不适合自己，就要果断舍弃。做出什么样的选择，要视自身条件和具体情况而定，要有主见，不能人云亦云。

人生的大多数时候，无论我们怎样审慎地选择，终归都不会尽善尽美，总会留有缺憾，但缺憾本身也是一种美。

社会大舞台上，每个人都是自己生活和生存方式的编导兼演员，只有学会正确地进行选择，果敢地做出舍弃，才能演绎出精彩的人生喜剧。

不舍弃黑暗，就看不到阳光

很多人都希望自己获得更多，却不愿意将自己已经获得的东西放手。可是生活常常是这样：如果不舍弃黑暗，就看不到阳光；如果不舍弃小的利益，就换不来更大的收入。

1984 年以前，海尔集团前身的青岛电冰箱厂生产的冰箱按产品质量分为一等品、二等品、三等品、等外品四类。那个时候中国刚刚改革开放，物品缺乏造成市场非常好，只要产品还能用，就可以堂而皇之地送出厂门，而且绝对有市场，绝对卖得掉。就连等外品都能够销售得出去。实在卖不了的产品，就分配给一些员工自用，或者送货上门半价卖掉。

然而，在 1985 年 4 月事情发生了改变。张瑞敏收到一封用户的投诉信，投诉海尔冰箱的质量问题。于是，张瑞敏到工厂仓库里，把 400 多台冰箱，全部做了检查之后，发现有 76 台冰箱不合格。为此，恼火的张瑞敏很快找到检查部，让他们看看这批冰箱怎么处理。他们说既然已经这样，就内部处理算了。因为以前出现这种情况都是这么办的，加之当时大多员工家里都没有冰箱，即使有一些质量上的问题也不是不能用呀！张瑞敏说：“如果这样的话，就是说还允许以后再生产这样的不合格冰箱。这么办吧，你们检查部门搞一个劣质工作、劣质产品展览会。”于是，他们搞了两个大展室，在展室里面摆放了那些劣质零部件和那 76 台不合格的冰箱，通知全厂职工都来参观。员工参观完以后，张瑞敏把生产这些冰箱的责任者和中层领导留下，并且问他们：“你们看怎么办？”结果大多数人的意见还是比较一致，都说内部处理。

但是，张瑞敏却坚持说，这些冰箱必须就地销毁。他顺手拿了一把大锤，照着一台冰箱就砸了过去。然后把大锤交给了责任者，转眼之间，他们把 76 台冰箱全都砸烂。

当时，在场的人一个个眼里流泪。虽然一台冰箱当时才 800 多块钱，但是，员工每个月的工资才 40 多块钱，一台冰箱就是他们两年的工资！

这件事情以后，员工们树立起了一种观念，谁生产了不合格的产品，谁就是不合格的员工。一旦树立起这种观念，员工的生产责任心迅速增强，在每一个生产环节都不敢马虎，精心操作。“精细化，零缺陷”变成全体员工发自内心的心愿和行动，从而使企业奠定了扎实的质量管理基础。

经过 4 年的努力，也就是 1988 年 12 月，海尔获得了中国电冰箱市场的第一枚国内金牌，把冰箱做到了全国第一。

如果当年厂子里的人都攥着眼前的利益不放，不肯砸烂那些不合格的冰箱，那么，就不会有日后海尔集团的崛起，更不会有如今的声誉。可见，只有肯舍弃的人，才可能获得更多。那些紧紧攥着手里的东西不放的人，也只能是故步自封，得不到更好的发展。

悬崖深谷处，撒手得重生

悬崖深谷得重生看似是一种悖论，实际上却蕴含着深刻的道理。“悬崖撒手”是一种姿态，美丽而轻盈。放手之后，心灵将获得一片自由飞翔的广袤天空，在瞬间释放与舒展。

行走于人世间，沟沟坎坎不可避免，事情的发展不会总是按照我们的主观想象进行，有时候，万事如意不过是一个美好的心愿罢了。一个人只有把一切受物理、环境影响的东西都放掉，才能够逍遥自在，万里行游而心中不留一念。

有个书生和未婚妻约好在某年某月某日结婚。但到了那一天，未婚妻却嫁给了别人，书生为此备受打击，一病不起。

这时，一位过路的僧人得知后，决定点化一下他。僧人来到他的床前，从怀中摸出一面镜子叫书生看。书生看到茫茫大海，一名遇害的女子一丝不挂地躺在海滩上。

路过一人，看了一眼，摇摇头走了。

又路过一人，将衣服脱下，给女尸盖上，走了。

再路过一人，过去挖个坑，小心翼翼地把尸体埋了。

书生正疑惑间，画面切换。书生看到自己的未婚妻，洞房花烛，被她的丈夫掀起了盖头。书生不明就里，就问僧人。

僧人解释说："那具海滩上的女尸就是你未婚妻的前世。你是第二个路过的人，曾给过她一件衣服。她今生和你相恋，只为还你一个情。但她最终要报答一生一世的人，是最后那个把她掩埋的人，那个人就是她现在的丈夫。"

书生听后，豁然开朗，病情也渐渐好了。

书生之所以会病倒，是因为他不能承受这样的打击，也无法坦然地放下曾经的感情，但是前世的"因"造就今生的"果"，前世只有以衣遮身的恩情，今生也就只有短暂相恋的回报。书生放下了，也就解脱了，病自然也好了。

有所舍得，才能有所收获，唯有能放下，才能真提起。放得下的人，不仅要放下自己，还要放下周围所有的一切。放下也并非完全失去自我，而是指不再有对抗之心，也不再有舍不得，要随时随地对任何事物没有丝毫的牵挂或舍不得，能如此，才谈得上是自在、解脱。

所谓回头是岸，岸貌似远在天涯。天涯远不远？不远。放下的时候，天涯就在面前。敢于放下，心里真正地放下，你会感到天地原来如此广阔，你会发现脚步如此轻盈平稳，你的心房如此安稳温馨。

看淡得失，

也就减少了痛苦

人生中难免会经历这样或那样的波折。面对生活中的痛苦，如果一味地沉浸在对命运的抱怨中，那么，我们看到的只能是漫无天际的悲观和失望，可是如果保持一颗豁达的心，即使是在人生的风雪里，也会把困难当成一种风景来观赏。

曼德拉因为反对种族隔离的政策而入狱，白人统治者把他关在荒凉的大西洋小岛罗本岛上 27 年。当时曼德拉年事已高，但白人统治者依然像对待年轻犯人一样对他进行残酷的虐待。

罗本岛上布满岩石，到处是海豹、蛇和其他动物。曼德拉被关在总集中营一间“锌皮房”里，白天打石头，将采石场的大石块碎成石料。他有时要下到冰冷的海水里捞海带，有时干采石灰——每天早晨排队到采石场，然后被解开脚镣，在一个很大的石灰石矿场里，用尖镐和铁锹挖石灰石。因为曼德拉是要犯，看管他的看守就有三人。他们对他并不友好，总是寻找各种理由虐待他。

谁也没想到，1991 年曼德拉出狱当选总统以后，他在就职典礼上的一个举动震惊了整个世界。

总统就职仪式开始后，曼德拉起身致辞，欢迎来宾。他依次介绍了来自世界各国的政要，然后说，能接待这么多尊贵的客人，他深感荣幸，但他最高兴的是，当初在罗本岛监狱看守他的三名狱警也能到场。随即他邀请他们起身，并把他们介绍给大家。

曼德拉的博大胸襟和宽容精神，令那些残酷虐待了他 27 年的白人汗颜，也让所有到场的人肃然起敬。年迈的曼德拉缓缓站起，恭敬地向三个曾关押他的看守致敬，在场的所有来宾乃至整个世界，都静了下来。

后来，曼德拉向朋友们解释，自己年轻时性子很急，脾气暴躁，正是狱中生活使他学会了控制情绪，因此才活了下来。牢狱岁月给了他时间与激励，也使他学会了如何处理自己遭遇的痛苦。他说，感恩与宽容常常源自痛苦与磨难，必须通过极强的毅力来训练。

没错，面对生活中的磨难，如果不能以一颗豁达的心面对，那么我们只能一直生活在痛苦当中。在生活中，很多人都不能放下心中的痛苦，他们觉得那是命运的不公，他们感受到了别人品尝不到的痛苦。所以，他们愤恨，他们抱怨，甚至还会想到要报复。

可是，即便我们把心中的痛苦都发泄给了另一个人，仍然没有办法减轻自己心中的痛苦，因为我们不曾放下。所以，与其让别人分担我们的痛苦，不如我们自己释怀。看淡得失，也就看淡了人生的是与非。

抛弃重负，

让生命之舟远航

一个背着大包裹的忧愁者，千里迢迢跑来拜访一位德高望重的哲人，他诉苦道："先生，我是那么孤独、痛苦，长期的跋涉使我疲倦到极点，我的鞋子破了，荆棘割破了双脚，手也受伤了，流血不止，嗓子因为长久的呼喊而喑哑……为什么我还不能找到心中的阳光？"

哲人问："你的大包裹里装的是什么？"忧愁者说："它对我可重要了。里面是我每一次跌倒时的痛苦，每一次受伤后的哭泣，每一次孤寂时的烦恼……靠着它，我才能走到您这儿来。"

于是，哲人带着忧愁者来到河边，他们坐船过了河。上岸后，哲人说："你扛了船赶路吧！""什么，扛了船赶路？"忧愁者很惊讶，"它那么沉，我扛得动吗？""是的，孩子，你扛不动它。"哲人微微一笑，说："过河时，船是有用的。但过了河，我们就要放下船赶路，否则，它会变成我们的包袱。痛苦、孤独、灾难、眼泪，这些对人生都是有用的，它能使生命得到升华，但之后就成了人生的包袱。放下它吧！ 孩子，生命不能负重太多。”

忧愁者放下包袱，继续赶路，他发觉自己的步子轻松而愉悦，比以前快得多。 原来，生命是可以不必如此沉重的。

有只狐狸被猎人用套夹夹住了一只爪子，它毫不迟疑地咬断了那只小腿，然后逃命。 放弃一只腿而保全一条性命，这是狐狸的哲学。 人生亦应如此，在生活强迫我们必须付出惨痛的代价以前，主动放弃局部利益而保全整体利益是最明智的选择。 智者曰：“两弊相衡取其轻，两利相权取其重。”趋利避害，这也正是放弃的实质。

一个带着过多包袱上路的人注定不会走得快，只有卸下身上的包袱才可能走得更快，我们总是让生命承载太多的负荷，这个舍不得丢掉，那个舍不得抛弃，最终被压弯腰的是我们自己。放下虚荣，放下功利，放下金钱的压力为我们自己的肩膀减负吧！

精明者敢于放弃，聪明者乐于放弃，高明者善于放弃。人，其实天生就懂得放弃，但放弃并非盲目的，而是选择性放弃，不轻言放弃。 放弃失落带来的痛苦，放弃屈辱留下的仇恨，放弃心中所有难言的负荷，放弃耗费精力的争吵，放弃没完没了的解释，放弃对权力的角逐，放弃对金钱的贪欲，放弃对虚名的争夺——放弃的是烦恼，摆脱的是纠缠，收获的就是快乐，拥有的就是充实。

放弃是为了更好地拥有。 放弃是一种超脱、一种气度，更是一种升华、一种境界。

放下是一种自由和觉悟

放下是一种觉悟，更是一种自由。如果不懂得放下的艺术，我们难免会变得心胸狭隘。

两个和尚一起到山下化斋，途经一条小河，他们正要过河，忽然看见一个妇人站在河边发愣，原来妇人不知河的深浅，不敢轻易过河。年纪较大的和尚立刻上前，把那个妇人背过了河。两个和尚继续赶路，可是在路上，那个年纪较大的和尚一直被另一个和尚抱怨，说作为出家人，怎么背个妇人过河，甚至又说了一些不好听的话。年纪较大的和尚一直沉默着，最后他对同行的和尚说："你之所以到现在还喋喋不休，是因为你一直都没有在心中放下这件事，而我在放下妇人的同时也把这件事放下了，所以才不会像你一样烦恼。"

其实，生活中原本有许多快乐的事，只是我辈常常自生烦恼，"空添许多愁"。许多事业有成的人常常有这样的感慨：事业小有成就，心里却空空的，好像拥有很多，又好像什么都没有。总是想成功后坐豪华游轮去环游世界，尽情享受一番。但真正成功了，却没有时间和心情去了却心愿，因为还有许多事情放不下……

很多时候，我们舍不得放弃已经走出的很远很远的路，舍不得放弃对权力与金钱的追逐……于是，我们只能用生命作为代价，透支健康与年华。但谁能算得出，在得到一些自认为珍贵的东西时，有多少和生命休戚相关的美好像沙子一样从指间溜走？我们也很少去思忖：掌中沙子的数量是有限的，一旦失去，便再也捞不回来了。

PART 06

扛得住，世界就是你的

我们把世界看错了，反说世界欺骗我们

在我们这个世界上，许许多多的人都认为公平合理是生活中应有的现象。我们经常听人说：“这不公平！”“因为我没有那样做，你也没有权力那样做。”我们整天要求公平合理，每当发现公平不存在时，心里便不高兴。应当说，要求公平并不是错误的心理，但是，如果不能获得公平，就产生一种消极的情绪，这个问题就要注意了。

实际上，绝对的公平并不存在，你要寻找绝对公平，就如同寻找神话传说中的宝物一样，是永远也找不到的。这个世界不是根据公平的原则而创造的，譬如，鸟吃虫子，对虫子来说是不公平的；蜘蛛吃苍蝇，对苍蝇来说是不公平的；豹吃狼、狼吃獾、獾吃鼠、鼠又吃……只要看看大自然就可以明白，这个世界并没有公平。飓风、海啸、地震等都是不公平的，公平只是神话中的概念。人们每天都过着不公平的生活，快乐或不快乐，与公平无关。

这并不是人类的悲哀，只是一种真实情况。

生活不总是公平的，这着实让人不愉快，但确实是我们不得不接受的真实处境。我们许多人所犯的一个错误便是为自己或他人感到遗憾，认为生活应该是公平的，或者总有一天会公平。其实不然，绝对的公平现在不会有，将来也不会有。

承认生活中充满着不公平这一事实，便能激励我们去尽己所能，而不再自我伤感。我们知道让每件事情完美并不是“生活的使命”，而是我们自己对生活的挑战，承认这一事实也会让我们不再为他人遗憾。

每个人在成长、面对现实、做种种决定的过程中都会遇到不同的难题，每个人都有成为牺牲品或遭到不公正对待的时候，承认生活并不总是公平这一事实，并不意味着我们不必尽己所能去改善生活，去改变整个世界，恰恰相反，它正表明我们应该这样做。

当我们没有意识到或不承认生活并不公平时，我们往往怜悯他人也怜悯自己，而怜悯自然是一种于事无补的失败主义的情绪，它只能令人感觉比现在更糟。但当我们真正意识到生活并不公平时，我们会对他人也对自己怀有同情，而同情是一种由衷的情感，所到之处都会散发出充满爱意的仁慈。当你发现自己在思考世界上的种种不公正时，可要提醒自己这一基本的事实。你或许会惊奇地发现，它会将你从自我怜悯中拉出来，使你采取一些具有积极意义的行动。

公平公正能够向往，但不能依赖和强求，不要把堕落的责任推诸他人，更不能自欺欺人！许多不公平的经历我们是无法逃避的，也是无从选择的，我们只能接受已经存在的事实并进行自我调整，抗拒不但毁了自己的生活，而且还会使自己精神崩溃。因此，人在无法改变不公和厄运时，只有学会接受它、适应它才能把人生航向调转过来，才能驶往自己真正的理想目的地。

绷紧完美的弦，
却弹不出优美的声音

“金无足赤，人无完人”，即使是全世界最出色的足球选手，10 次传球，也有 4 次失误；最棒的股票投资专家，也有马失前蹄的时候。我们每个人都不是完人，都有可能存在这样或那样的过失，谁能保证自己的一生不犯错误呢？也许只是程度不同罢了。如果你不断追求完美，对自己做错或没有达到完美标准的事深深自责，那么一辈子都会背着罪恶感生活。

过分苛求完美的人常常伴随着莫大的焦虑、沮丧和压抑。事情刚开始，他们就担心失败，生怕干得不够漂亮而不安，这就妨碍了他们全力以赴地去取得成功。而一旦遭遇失败，他们就会异常灰心，想尽快从失败的境遇中逃离。他们没有从失败中获取任何教训，而只是想方设法让自己避免尴尬的场面。

很显然，背负着如此沉重的精神包袱，不用说在事业上谋求成功，在自尊心、家庭问题、人际关系等方面，也不可能取得满意的结果。他们抱着一种不正确和不合逻辑的态度对待生活和工作，他们永远无法让自己感到满足。

张爱玲在她的小说《红玫瑰与白玫瑰》中写了男主角佟振保的爱恋，同时也一针见血地道破了男人的心理以及完美之梦的破灭：白玫瑰有如圣洁的恋人，红玫瑰则是热烈的情人。娶了白玫瑰，久而久之，变成了胸口的一粒白米饭，而红玫瑰则如胸口的痧痣；娶了红玫瑰，年复一年，则变成蚊帐上的一抹蚊子血，而白玫瑰则仿佛是床前明月光。

事实上，世界上根本就没有真正的“最大、最美”，人们要学会不对自己、他人苛求完美，宽容一些，否则会浪费掉许许多多的时间和精力，最终只能在光阴蹉跎中悔恨。

世界并不完美，人生当有不足。对于每个人来讲，不完美的生活是客观存在的，无须怨天尤人。不要再继续偏执了，给自己的心留一条退路，不要因为不完美而恨自己，不要因为自己的一时之错而埋怨自己。

完美往往只会成为人生的负担，人绷紧了完美的弦，它却可能发不出优美的声音。那些爱自己、宽容自己的人，才是生活的智者。

人生有多残酷，你就该有多坚强

成就平平的人往往是善于发现困难的天才，他们善于在每一项任务中看到困难。他们莫名其妙地担心前进路上的困难，这使他们勇气尽失。他们对于困难似乎有惊人的“预见”能力。一旦开始行动，他们就开始寻找困难，时时刻刻等待着困难的出现。当然，最终他们发现了困难，并且被困难击败。这些人似乎戴着一副有色眼镜，除了困难，他们什么也看不见。他们前进的路上总是充满了“如果”“但是”“或者”和“不能”，这些东西足以使他们止步不前。

一个向困难屈服的人必定会一事无成，很多人不明白这一点。一个人的成就与他战胜困难的能力成正比，他战胜越多别人所不能战胜的困难，他取得的成就也就越大。如果你足够强大，那么困难和障碍会显得微不足道；如果你很弱小，那么障碍和困难就显得难以克服。有的人虽然知道自己要追求什么，却畏惧成功道路上的困难。他们常常把一个小小的困难想象得比登天还难，一味地悲观叹息，直到失去了克服困难的机会。那些因为一点点困难就止步不前的人，与没有任何志向、抱负的庸人无异，他们终将一事无成。

成就大业的人，面对困难时从不犹豫徘徊，从不怀疑自己克服困难的能力，他们总是能紧紧抓住自己的目标。对他们来说，自己的目标是伟大而令人兴奋的，他们会向着自己的目标坚持不懈地攀登，而暂时的困难对他们来说则微不足道。

我们随处可见自己给自己制造障碍的人，在每一个学校或公司董事会中或多或少地都有这样的人。他们总是善于夸大困难，小题大做。如果一切事情都依靠这种人，结果就会一事无成。如果听从这些人的建议，那么一切造福这个世界的伟大创造和成就都不会存在。

取得成功的人也会看到困难，却从不惧怕困难，因为他相信自己能战胜这些困难，他相信一往无前的勇气能扫除这些障碍。有了决心和信心，这些困难又能算得了什么呢？对拿破仑来说，阿尔卑斯山算不了什么，并非阿尔卑斯山不可怕，冬天的阿尔卑斯山几乎是不可翻越的，但拿破仑觉得自己比阿尔卑斯山更强大。

虽然在法国将军们的眼里，翻越阿尔卑斯山太困难了，但是他们那伟大领袖的目光却早已越过了阿尔卑斯山上的终年积雪，看到了山那边碧绿的平原。

乐观地面对困难，多一些快乐，少一些烦恼，你会惊奇地发现，这不仅会使你的工作充满乐趣，还会让你获得幸福，你会发现，自己成了一个更优秀、完美的人。你用充满阳光的心灵轻松地去面对困难，就能保持自己心灵的和谐。而有的人却因为这些困难而痛苦，失去了心灵的和谐。

怎样看待周围的事物完全取决于你自己的态度。每一个人的心中都有乐观向上的力量，它使你在黑暗中看到光明，在痛苦中看到快乐。每一个人都有一个水晶镜片，可以把昏暗的光线变成七色彩虹。

夏洛特·吉尔曼在他的《一块绊脚石》中描述了一个登山的行者，突然发现一块巨大的石头摆在面前，挡住了他的去路。他悲观失望，祈求这块巨石赶快离开，但它一动不动。他愤怒了，大声咒骂，他跪下祈求它让路，它仍旧纹丝不动。行者无助地坐在这块石头前，突然间他鼓起了勇气，最终解决了困难。用他自己的话说："我摘下帽子，拿起我的手杖，卸下我沉重的负担，径直向着那可恶的石头冲过去，不经意间，我就翻了过去，好像它根本不存在一样。如果我们下定决心，直面困难，而不是畏缩不前，那么，大部分的困难就根本不算什么困难。"

生命中的痛苦是盐，咸淡取决于盛它的容器

从前有座山，山里有座庙，庙里有个年轻的小和尚，他过得很不快乐，整天为了一些鸡毛蒜皮的小事唉声叹气。后来，他对师父说：“师父啊！我总是烦恼，爱生气，请您开示开示我吧！”

老和尚说：“你先去集市买一袋盐。”

小和尚买回来后，老和尚吩咐道：“你抓一把盐放入一杯水中，待盐溶化后，喝上一口。”小和尚喝完后，老和尚问：“味道如何？”

小和尚皱着眉头答道：“又咸又苦。”

然后，老和尚又带着小和尚来到湖边，吩咐道：“你把剩下的盐撒进湖里，再尝尝湖水。”弟子撒完盐，弯腰捧起湖水尝了尝，老和尚问道：“什么味道？”

“纯净甜美。”小和尚答道。

“尝到咸味了吗？”老和尚又问。

“没有。”小和尚答道。

老和尚点了点头，微笑着对小和尚说："生命中的痛苦就像盐的咸味，我们所能感受和体验的程度，取决于我们将它放在多大的容器里。"小和尚若有所悟。

老和尚所说的容器，其实就是我们的心量，它的容量决定了痛苦的浓淡，心量越大烦恼越轻，心量越小烦恼越重。心量小的人，容不得，忍不得，受不得，装不下大格局。有成就的人，往往也是心量宽广的人，看那些"心包太虚，量周沙界"的古圣大德，都为人类留下了丰富而宝贵的精神财富。

其实，我们每个人一生中总会遇到许多盐粒似的痛苦，它们在苍白的心境下泛着清冷的白光，如果你的容器有限，就和不快乐的小和尚一样，只能尝到又咸又苦的盐水。

一个人的心量有多大，他的成就就有多大。不为一己之利去争、去斗、去夺，扫除报复之心和嫉妒之念，则心胸广阔天地宽。当你能把虚空宇宙都包容在心中时，你的心量自然就能如同天空一样广大。无论荣辱悲喜、成败冷暖，只要心量放大，自然能做到宠辱不惊。

寒山曾问拾得："世间有人谤我、欺我、辱我、笑我、轻我、贱我、骗我，如何处之？"拾得答道："只要忍他、让他、避他、由他、耐他、敬他、不理他，再过几年，你且看他。"如果说生命中的痛苦是无法自控的，那么我们唯有拓宽自己的心量，才能获得人生的愉悦。通过内心的调整去适应、承受必须经历的苦难，从苦涩中体味心量是否足够宽广，从忍耐中感悟暗夜中的成长。

心量是一个可开合的容器，当我们只顾自己的私欲，它就会愈缩愈小；当我们能站在别人的立场上考虑，它又会渐渐舒展开来。若事事斤斤计较，便把自心局限在一个很小的框框里。这种处世心态，既轻薄了自身的能力，又轻薄了自己的品格。

心量是大还是小，在于自己愿不愿意敞开。一念之差，心的格局便不一样，它可以大如宇宙，也可以小如微尘。我们的心要和海一样，任何大江小溪都要容纳；要和云一样，任何天涯海角都愿遨游；要和山一样，任何飞禽走兽，都不排拒；要和土地一样，任何脚印车轨，都能承担。这样，我们才不会因一些小事而心绪不宁、烦躁苦闷！

把心打开吧，用更宽阔的心量来经营未来，你将拥有一个别样的人生！

心不怨恨则宽容，心存善良则美好

我们常常在自己的脑子里预设一些规定，以为别人应该有什么样的行为，如果对方违反规定就会引起我们的怨恨。大多数人都一直以为，只要我们不原谅对方，就可以让对方得到一些教训，也就是说，只要我不原谅你，你就没有好日子过。而实际上，不原谅别人，表面上是那人不好，其实真正倒霉的人却是我们自己，生一肚子窝囊气不说，甚至连觉都睡不好。这样看来，报复不仅让我们不能实现对别人的打击，反倒对自己的内心是一种摧残。

有一位好莱坞的女演员，失恋后，怨恨和报复心使她的面容变得僵硬而多皱，她去找一位最有名的美容师为自己美容。这位美容师深知她的心理状态，中肯地告诉她："你如果不消除心中的怨和恨，不对他人多一点儿包容，我敢说全世界任何美容师也无法美化你的容貌。"

对待自己的最好方式是宽容，宽容能抚慰你暴躁的心绪，弥补不幸对你的伤害，让你不再纠缠于心灵毒蛇的咬噬中，从而获得自由。

生活中，我们难免与别人产生误会、摩擦。这些麻烦，有的伤了自己的面子，有的让自己下不了台，有的当众给了自己难堪，有的对自己有成见，等等。如果不注意，仇恨在心底悄悄滋长，你的心灵就会背负报复的重负而无法获得自由。

乔治·赫伯特说："不能宽容的人损坏了他自己必须要过的桥。"这句话的智慧在于，宽容使给予者和接受者都受益。当真正的宽容产生时，没有疮疤留下，没有伤害，没有复仇的念头，只有愈合。宽容是一种医治的力量，不仅能医治被宽容者的缺陷，还可以挖掘出宽容者身上的伟大，正如美国作家哈伯德所说："宽容和受宽容的难以言喻的快乐，是连神明都会为之羡慕的极大乐事。"

1944 年冬天，苏军已经把德军赶出了国门，上百万的德国兵被俘。一天，一队德国战俘从莫斯科大街上穿过，所有的马路上都挤满了妇女。她们每一个人都和德国人有一笔血债。

妇女们怀着满腔仇恨，当俘虏出现时，她们把手攥成了拳头。警察竭尽全力阻挡着她们，生怕她们控制不住自己。

这时，最令人意想不到的事情发生了：一位上了年纪的犹太妇女，从怀里掏出一个用印花布方巾包裹的东西。里面是一块黑面包，她不好意思地把它塞到一个疲惫不堪、几乎站不住的俘虏的衣袋里。

她转过身对那些充满仇恨的同胞们说："当这些人手持武器出现在战场时，他们是敌人。可当他们解除了武装出现在街道时，他们是跟我们一样的人。”

于是，整个气氛改变了。妇女们从四面八方一齐拥向俘虏，把面包、香烟等各种东西塞给他们。

仇恨是带有毁灭性的情感，只会激化矛盾，酿成大祸。宽容却能轻易将恨意化解，让紧张的气氛化成脉脉温情。

人生总有存在的意义，如果只为一个仇恨的目的而生存，那么仇恨会毁掉你的心智、迷惑你的眼睛、吞噬你的心灵。报复是一把双刃剑，它不但会伤害别人，还会使你自己落入恨的陷阱，使你看不到人间的关爱与温暖，即使在夏日也只能感受到严冬般的寒冷。

既然我们都举目共望同样的星空，既然我们都是同一星球的旅伴，既然我们都生活在同一片蓝天下，那我们为什么还总是彼此为敌呢？请不要忘记，世间唯有两个字可使你和他人的生活多姿多彩，那就是“宽容”。

如果抱怨能让你抱出金砖，你就一抱再抱

在现实中，我们难免会遭遇挫折与不公正待遇，每当这时，有些人就会产生不满，不满通常会引起牢骚，希望以此引起更多人的同情，吸引别人的注意力。从心理角度讲，这是一种正常的心理自卫行为。但这种自卫行为同时也是许多人心中的痛，牢骚、抱怨会削弱责任心，降低工作积极性，这几乎是所有人为之担心的问题。

通往成功的征途不可能一帆风顺，遭遇困难是常有的事。事业的低谷、种种的不如意让你仿佛置身于荒无人烟的沙漠，没有食物也没有水。这种漫长的、连绵不断的挫折往往比那些虽巨大但可以速战速决的困难更难战胜。在面对这些挫折时，许多人不是积极地去找方法化险为夷，绝处逢生，而是一味地急躁，抱怨命运的不公平，抱怨生活给予他的太少，抱怨时运的不佳。

奎尔是一家汽车修理厂的修理工，从进厂的第一天起，他就开始喋喋不休地抱怨，“修理这活太脏了，瞧瞧我身上弄

的”“真累呀，我简直讨厌死这份工作了”……每天，奎尔都在抱怨和不满的情绪中度过。他认为自己在受煎熬，就像奴隶一样卖苦力。因此，奎尔每时每刻都窃视着师父的眼神与行动，稍有空隙，他便偷懒耍滑，应付手中的工作。

转眼几年过去了，当时与奎尔一同进厂的三个工友，各自凭着精湛的手艺，或另谋高就，或被公司送进大学进修，独有奎尔，仍旧在抱怨声中做他讨厌的修理工。

提及抱怨与责任，有位企业领导者一针见血地指出：“抱怨是失败的一个借口，是逃避责任的理由。这样的人没有胸怀，很难担当大任。”仔细观察任何一个管理健全的机构，你会发现，没有人会因为喋喋不休的抱怨而获得奖励或提升。想象一下，船上水手如果总不停地抱怨：这艘船怎么这么破，船上的环境太差了，食物简直难以下咽，以及有一个多么愚蠢的船长。这时，你认为这名水手的责任心会有多大，对工作会尽职尽责吗？假如你是船长，你是否敢让他做重要的工作？

如果你对公司、工作有满腹的牢骚无从宣泄时，做个选择吧，一是选择离开，到公司的门外去宣泄；二是选择留在这里，做到在其位谋其政，全身心地投入到公司的工作上来，为更好地完成工作而努力。

一个人的发展往往会受到很多因素的影响，这些因素有很多是自己无法把握的，工作不被认同、才能不被重用、职业发展受挫、上司待人不公平、别人总用有色眼镜看自己……这时，能够拯救自己出泥潭的只有自己，与其抱怨不如去改变。

比尔·盖茨曾告诫初入社会的年轻人：社会是不公平的，这种不公平遍布于个人发展的每一个阶段。在这一现实面前，任何急躁、抱怨都没有益处，只有坦然地接受这一现实并努力去寻求改变的方法，才能扭转这种不公平，使自己的事业有进一步发展的可能。

把眼泪留给最疼你的人，微笑留给伤你最深的人

人总会经历这样那样的烦心事，这些事总是会折磨人的心，使人不得安稳。尤其对于刚刚大学毕业的年轻人，他们刚在社会中立足，还未完全成长起来，却要承受社会的种种压力，比如待业、失恋、职场压力等。还没有摆脱学生气的他们本身就是一个脆弱的群体，往往在这些折磨面前束手无策。

其实，世间的事就是这样，如果你改变不了世界，那就要改变你自己。换一种眼光去看世界，你会发现所有的“折磨”其实都是促进你成长的“清新氧气”。

人们往往把外界的折磨看作人生中消极的、应该完全否定的东西。当然，外界的折磨不同于主动的冒险，冒险可以带来一种挑战的快感，而我们忍受折磨总是迫不得已。但是，人生中的折磨总是完全消极的吗？清代金兰生在《格言联璧》中写道：“经一番挫折，长一番见识；容一番横逆，增一番气度。”由此可见，那些挫折和折磨对人生不但不是消极

的，还是一种促进你成长的积极因素。

生命是一次次的蜕变过程，唯有经历各种各样的折磨，才能增加生命的厚度。 通过一次又一次与各种折磨握手，历经反反复复几个回合的较量之后，人生的阅历才会在这个过程中不断丰富。

在人生的岔道口，如果我们选择了一条平坦的大道，可能会有一个舒适而享乐的青春，但我们会失去很好的历练机会；如果我们选择了坎坷的小路，我们的青春也许会很痛苦，但人生的真谛也许因此被我们发现。

蝴蝶的幼虫是在茧中度过的，当它的生命要发生质的飞跃时，狭小通道对它来讲无疑成了鬼门关，那娇嫩的身躯必须竭尽全力才可以破茧而出，许多幼虫在往外冲的时候力竭身亡。 有人怀了悲悯恻隐之心，企图将那幼虫的生命通道修得宽阔一些，他们用剪刀把茧的洞口剪大。 但是，这样一来，所有受到帮助而见到天日的蝴蝶无论如何也飞不起来，只能拖着丧失了飞翔功能的双翅在地上笨拙地爬行！ 原来，那“鬼门关”般的狭小茧洞恰是帮助蝴蝶幼虫两翼成长的关键所在，穿越的时候，通过用力挤压，血液才能被顺利输送到蝶翼的组织中去，唯有两翼充血，蝴蝶才能振翅飞翔。 人为地将茧洞剪大，蝴蝶的翼翅就没有充血的机会，爬出来的蝴蝶便永远与飞翔绝缘了。

一个人的成长过程恰似蝴蝶的破茧过程，在痛苦的挣扎中，意志得到磨炼，力量得到加强，心智得到提高，生命得到升华。 当你从痛苦中走出来时，就会发现，你已经拥有了飞翔的力量。 如果没有挫折，也许就会像那些受到“帮助”的蝴蝶一样，萎缩了双翼，平庸一生。

失败和挫折其实并不可怕，正是它们才教会我们如何找到经验与教训。如果一路都是坦途，那我们也只能沦为平庸。

没有经历过风霜雨雪的花朵，无论如何也结不出丰硕的果实。或许我们习惯羡慕他人所获得的成功，但是别忘了，温室的花朵注定经不起风霜的考验。正所谓“台上十分钟，台下十年功”，在光荣的背后一定会有汗水与泪水共同浇铸的艰辛。

所以，一个成功的人，一个有眼光和思想的人，都会感谢折磨自己的人和事，唯有以这种态度面对人生，才能走向成功。

一生气，你就输了

纵使人生中有再多的磨难和考验，我们也不能像被充满了的气球一样，嘭的一声，就剩下粉身碎骨。

气球越是鼓足了气，就越容易爆炸，人也是一样，心里存有太多气，不仅伤心也会伤身。 莎士比亚说：“不要因为你的敌人燃起一把火，你就把自己烧死。”所以，当我们意识到自己的情绪波动时，就应该努力用理智去控制，而不要让自己的情绪随意地发泄出来。

但是，现实生活中，能够以自己的理智控制情绪的人并不多。 通常情况下，我们都是在情绪的左右下生活。 有时候，很多事情堆积在一起，就会让我们很生气，甚至到了理智根本无法控制的局面。 这个时候，我们不妨给自己找一个“出气口”，让自己的精神得到缓解，不那么生气。

古时有一个妇人，特别喜欢为一些琐碎的小事生气。 她也知道自己这样不好，便去求一位高僧为自己谈禅说道，开阔心胸。

高僧听了她的讲述，一言不发地把她领到一个禅房中，落锁而去。妇人气得跳脚大骂。骂了许久，高僧也不理会。妇人又开始哀求，高僧仍置若罔闻。妇人终于沉默了。高僧来到门外，问她：“你还生气吗？”妇人说：“我只为我自己生气，我怎么会到这地方来受这份罪。”“连自己都不原谅的人怎么能心如止水？”高僧拂袖而去。过了一会儿，高僧又问她：“还生气吗？”“不生气了。”妇人说。“为什么？”“气也没有办法呀。”“你的气并未消失，还压在心里，爆发后将会更加剧烈。”高僧又离开了。高僧第三次来到门前，妇人告诉他：“我不生气了，因为不值得气。”“还知道值不值得，可见心中还有衡量，还是有气根。”高僧笑道。

当高僧的身影迎着夕阳立在门外时，妇人问高僧：“大师，什么是气？”

高僧将手中的茶水倾洒于地。妇人视之良久，顿悟，叩谢而去。

何苦要气？何苦要拿别人的错误来惩罚自己？人生短短几十年，幸福和快乐尚且享受不尽，哪里还有时间去气呢？所以，我们应该学会消消气，学会控制自己的情绪。生活中遇到烦心事在所难免，此时，内心的郁闷、愤怒总想找个地方发泄一下，不然会感到心里憋得慌。找朋友或同学诉说是个好方法，但有时有些话不能对别人说，同时怒气也不能往别人身上撒，那怎么办呢？

网球巨星桑普拉斯一次在争夺大满贯的比赛时，与对手陷入苦战，不料中场休息时，他却在众目睽睽下，手抱毛巾，失声痛哭，原来当年他的启蒙教练兼好友因病亡故，心情已受影响，现在又在比赛中承受如此巨大的压力，因而百感交集地哭泣。有人可能会觉得，怎么一个大男人竟会在这种公共场合落泪？殊不知，桑普拉斯之所以能称霸网坛，除了他的球技外，在情绪及心理的反应上都高人一等，因此每每能在紧要关头化险为夷，赢得胜利，包括那场比赛。

每个人都有不同的发泄方式，所以选择哭泣也不是什么丢脸的行为。只要我们没有做过伤害别人的事情，没有把别人当成自己的出气筒，那么即使满脸泪水又何妨？